株のトレーディング教室

3カ月でマスターする投資技術の基本

三木 彰 著

同友館

はじめに

ここでいう「株のトレーディング」とは半年以内、早ければ1～2ヶ月で利喰いを目指す株の売買を指しています。

一般に株式投資は〝いい銘柄〟を探すことばかりに集約されていますが、それは大いなる間違いであり、すべての銘柄について株価の安い時に買い、高く売り抜けるための資金を有効に活用する技術としてとらえる必要があるのです。

トレーディングにおいては株は持つものではなく、利益を得るために利用する単なる「仕入れ商品」にすぎません。株は価格が大きく無制限に変動するため、買い値より安くなるリスクがあると同時に、大きく儲ける可能性をも併せ持っています。したがって価格が下がったものはできるだけ早く処分し、上がるものはできるだけ長く持つという、状況に応じたトレーディングの技術が必要となります。

株を持っているということは買ったときに支払った代金は固定化され、利喰いか損切りかは別として、売らない限り新しい利益機会を創造することはありえません。だからこそ損失がでているものほど早く処分して新しい機会に儲ける必要があるのです。

しかし株式市場で起きている事態は膨大な塩漬け株、つまり含み損を抱えた株を全国津々浦々の投資家が持ち続けており、ひたすら株価が戻ってくるのを待っているのが現実です。

そのことは同時に私たちの金が自分自身のためではなく株式市場という巧妙なシステムによって勝手に利用されつづけていることを意味しているのです。

限られた資金を自分のためにだけ有効かつ効率的に使いながら、誰かから安く買い、他の誰かに高く売りつけることでしか株で儲ける方法はありません。

それは投資家同志のいつ買い、どう売り抜けるかの凄絶な株価戦争といえ、その結果は全て自己責任として私たちが甘受し、負けた人は文句を言わずにその場から立ち去るのがこの世界の掟です。

本書『株のトレーディング教室』はまさにそのことを全編を通じて伝えるものであり、投資家として資金を守りながら株に対しどう取り組むべきかの基本的な考え方や定石を提示した上で、具体的な資金活用のノウハウから「いつ買い」「いつ売るか」そして「本当の銘柄探しの技術」など実践に役立つ基本をしっかりと覚えていただくことを狙いとしています。

本書を熟読していただければ、これまでの株式投資がいかに間違った認識のもので行われていたかがご理解いただけると思います。

なお今回は紙面の都合で提示できなかった、より細部の具体的なトレーディング技術やノウハウについては次作『株のトレーディング教室II』にて紹介させていただく予定です。

二〇〇二年七月

三木　彰

目次

はじめに／1

第1章　株のトレーディング教室

教室のスタートにあたって／12
トレーディングとは何か／15
一度覚えたら一生使えるトレーディング技術／17
株のトレーディング教室の役割／21
株のトレーディングのプロトタイプ（典型例）／25

第2章

基礎講座　その1　実際の例から学ぶ「株・失敗の本質」

1年で5億円儲けて、すぐに5億円損した投資家の話／36
1年で退職金の半分近くを失った投資家の話／42
株・失敗の本質／47
その1　株価の動きは人間の予測を超える／47
その2　投資家は株を持ちすぎる／48
その3　株価が上がるほど強気になる投資家／49
その4　証券会社の存在／51
その5　投資家は株の実態を知らなさすぎる／51
株・失敗の本質の隠された親玉「銘柄主義」／53
銘柄主義が隠している真実／56
成否は投資家の金の使い方にある／58
(1)　資金管理（マネーマネジメント）そのものがない／59
(2)　株式投資は会社を買うことだと思っている／62
(3)　損は絶対イヤ、勝つまでやめない／64

目次

第3章 基礎講座 その2 株価と出来高
株価は期待の産物である／70
株価は一直線には上がれない／75
株価が与える錯覚「高値覚え」／80
出来高が株価の運命を変える／85
高値圏の出来高が語りかけてくる／88
底値圏の出来高が教えるチャンス／92

第4章 実践講座 その1 売買術
3つの基本技術／98
資金500万円を超えてから重要になる資金管理／101
まず資金管理よりはじめよ／103
あなたを守る資金管理の定石／106
資金管理の大前提「株は持つな」／110
いつも現金ポジションが基本／112

分散の投資術／114
ロスカットの原則／118
売買術を覚えて「買い間違い」と危険をなくそう／122

第5章　実践講座　その2　戦略的銘柄選択

あなたはどっち？　二者択一の選択／130
バフェット氏は証券会社の営業が大嫌い／135
証券会社のすすめるファンダメンタルズ投資のおそろしさ／137
それじゃ銘柄はどう選べばいいいんだ／140
正しい銘柄選択の実践／142
(1)　売らない株式投資の銘柄選択／142
(2)　業績を買う銘柄選択／146
(3)　株価の上がりっ端をとらえる銘柄選択／150
(4)　需給を買う銘柄選択／156
銘柄選択のまとめ／163

第6章　実践講座　その3　相場観のつくり方

相場観とは／168
相場観のつくり方／175
相場観を手に入れるための基準づくり／179
株価の寿命／183
「カラ売り」の修得／187
大きな目標を持て／191

第1章

株のトレーディング教室

教室のスタートにあたって

株は「買って持つものではなく、買って売る」ものです。言葉としては単純な差異ですが、そのことが株式の売買において投資家に決定的な行動の変化を与えていくことになります。そして意外に投資家はその違いを知らずに、何となく株を買い、そして簡単に、しかも手っ取り早く儲けようとしているのです。

株で儲けるためには、株価が安いところで買って高く売らなければなりません。株を安く買って高く売り抜けるためには、株を持たずに株を利用して株価差益をねらう、いわゆる株の短期売買つまり株のトレーディングをすることになりますが、多くの投資家にその認識はありません。それどころか当のご本人は株を買うことは株を自分のものにする、すなわち株は持つものだと考えています。

本書のタイトルを「株のトレーディング教室」とするには大いに論議がありました。本のタイトルとして株のトレーディングという意味が読者に通じるのか、その意味を理解していただけるのかという点においてです。しかし2002年1月から「株のトレーディング教室」という名称で勉強会を開催したところ、あっという間に200名ほどの参加者が集まったことから、予想外に投資家は株のトレーディングについて関心を持っており、そのノウハウ技術を知りたがっていることに確信が持てたのです。

従来、日本の証券界では株は中長期投資であり、長く保有することで大きな利益を得ることができるという建前がありました。6ヶ月以内に、それもできれば1～2ヶ月で利益を得ようとする比較的短期の売買、つまり、ここでいうトレーディングは〝投機〟だとされ、危険なのでやってはならないものとされてきたのです。

そのため投資家の意識も当然に短期の売買、すなわちトレーディングはいけないことと思い込まされ、トレーディングという言葉自体すら知らない方が多かったといえます。

しかしここ10余年にわたる2つのバブル崩壊によって、これまで証券界の金科玉条であった中長期投資による株の保有は、投資家にとってはきわめて危険で、おそろしく大きなリスクになることがわかってきました。株を中長期で持つということが投資家にとって短期の投機的売買をする以上に危険であることが明らかになってきたのです。

それはそもそも株式投資そのものが投機であることを、多く投資家が気づきはじめたことの証でもあります。

そしてもうひとつ投資家が気づいたことがありました。それは自分たちが本当の中長期投資をしているのではなく、要は1～2割も上がれば「利喰い千人力」とすぐにも売らされ、次の新しい銘柄を買い、それが下がって塩漬けになると、今度は持ち株担保の信用取引をすすめられるというように、要は証券界のために回転売買をさせられてきたことです。

平成11年に本邦ではじめて「カラ売り」を主題にした三部作の第一作目『カラ売り入門』を出したとき、当時は5000部も売れればと思っていたものが2万部を超えてしまい、大いに驚いたものです。

そのことは多くの投資家が株は上がるより下がる方が多いことに気づき、買い一辺倒の中長期投資に対し大いなる疑問を持ちはじめていた証拠でもあるのです。

今、時代が移り、10余年にわたるバブルの崩壊の後、売買の半分は外国人といわれるほどになり、かつてのような日本の大手証券会社主導の株式市場ではありません。

主導権を握った外国勢はデリバティブ（金融派生商品）を武器にトレンドフォロー（相場の流れを追う）に代表される投資技術を駆使して、日本の株式市場でやりたい放題に儲けています。一方の日本勢は相変わらず銘柄にこだわり、ドコモだソニーだとブランド銘柄を追いかけている始末です。

現に1990年からのバブル崩壊のあと、1999年から2000年にかけてのITバブルの崩壊で通信・ハイテク株を買った日本の投資家の資金が5分の1以下になったケースがザラにあるといわれています。「自分たちがやっていること、いや、やらされていることに何か致命的な欠陥があるのではないか」ということを今、日本の投資家の多くが感じはじめているのです。

本書『株のトレーディング教室』の目的は、これまでの株式投資の間違いを探し、これを是正すると同時にその原因をつきとめ、そこから新しいスタート、すなわち正しい投資技術（トレーディング技術）を持った強い投資家を育成することにあります。

トレーディングとは何か

「株のトレーディング」という言葉を初めて聞く方もいると思いますので、簡単にトレーディングについて述べておきます。

株のトレーディングとは「利喰い」を目的とした比較的短期の、ここでは6ヶ月が最長で、ふつうは1〜2ヶ月で利喰うか、そうでなければ撤退するのを原則としておこなう株式投資です。つまり、比較的短期間に安く買って高く売り抜けるという、純粋にキャピタルゲイン（株価差益）をねらうものです。

後ほど米国の有名な投資家バフェット氏などが行っている中長期投資の株の売買について少し触れますが、株式投資にはこのトレーディングとは全く異なる本来の中長期の時間をかけた売買手法があります。しかし、現在の日本の株式市場で行われている株の売買は中長期投資とはいうものの、それは言葉だけが同じで実態は全く似て非なるものです。

日本でいう株式投資とは、これから私たちが学ぼうとする株のトレーディングに近く、さらにそこへ株の中長期保有の概念だけを持ち込んだ大変危険な株式投資です。なぜなら本当の中長期投資では厳格な銘柄分析をした上で徹底して安く買うというスタンスですが、そのようなことは全くなく、どこかのアナリストのいい加減でお粗末な分析の銘柄情報を主体としたものだからです。

本当の中長期投資は、そう簡単には売らないものです。揚げ句にそれを1割、2割上がったからといって利喰うのであれば、それは中長期投資でもなんでもなく、これから学ぶトレーディングでもないのです。

これでは、投資家が儲けられなかったのも当たり前のことだったといえます。

一度覚えたら一生使えるトレーディング技術

教育の大切さは、正しくそれを覚えれば一生その人の財産になることです。株のトレーディング技術は定石を踏まえて学んでいけば、一度手に入れたら一生ものです。

本来、技術といわれるものは、まず伝統的な正しい模範があり、それを丁寧になぞって真似をしていくところから修得するものです。日本の伝統芸能や職人芸も、すべてはそうしたプロセスの中で現在があります。

よく自分のカンや力を過信し、自分は他の人とは違う格段の運や能力を持っていると思い、定石を無視し自己流に陥る人がいますが、そうした人の99%はいつかどこかで相場の罠に陥って消えていくものです。

過去に相場の天才・達人として栄光の座にいた人が、一生そのまま栄光を保持しつづけたことはない、といわれるほど厳しい世界でもあるのです。

だからこそ平均的な能力の私たちは定石に則った正しい理論や技術の基本を、まず身につける必要があるのです。

おもしろいもので、そうした定石を身につけて実践をしていると、誰にでもやがてその人の個性が現われ、その人らしくグングンと上達していくものです。そうなればしめたもので、それは一生ものになります。

なぜなら定石とは何百年にもわたる相場の歴史の中で、優れた達人たちが残してくれたまさしく正の遺産だからです。

それはどんな時代、いかなる相場においてもあてはまってくるものですから、たとえ現在のように世界中の投資のプロが集まってコンピュータを駆使しデリバティブ(金融派生商品)を巧みに操っても、いつかその定石の中に戻ってくるのです。だからどんなときでも有効であるという意味で一生ものなのです。

これまで日本の投資家に、そうした意味での正しい投資の定石や理論そして技術はあたえられることはありませんでした。

同時に日本の証券界もまたムラ社会的な既得権益社会に安住し、発行サイド(国・産業界・

証券界）寄りの恣意性（自分の思い通りにする）のもとにひたすら銘柄を追ってきたため、欧米の外国人勢とまともに戦えるノウハウ技術は蓄積されてこなかったのです。その意味で日本の株式市場はいまだ貧困であり、厳格公正なルールという面においても後進性の中にあります。

そんな中、今や日本の株式市場においてもインターネット時代が到来し、これまでその良し悪しは別として、投資家の相談相手であった証券会社の営業マンは基本的に消滅へ向かい、同時に回転売買を促進していた営業はすっかり影をひそめ、手数料の安いネット証券で売買する投資家の率が急速に増加しています。

しかし依然として投資家の多くは株が経済であり、銘柄探しこそが株式投資のノウハウだと思っているのが現実です。

それが投機そのものであり、迂闊に手を出すと、どれほど危険であるかということを本当の意味で知っている人は少ないものです。

ましてや投機・ギャンブルなどを知らないままに生活してきた人が、株は経済であり会社を買うことだと生真面目に考え、株式投資をしていれば、それがいつでも安い手数料で電話一本、ボタンひとつで買えるだけに、いつの間にか資金目一杯の荒勝負をすることになってしまいます。そして気がついたときにはスッカラカンになるか大量の塩漬け株をかかえてニッチもサッチもいかなくなるのがふつうです。

また中にはデイトレーダー的に1日の中で何回も売買をし、原則オーバーナイトはしないという超短期の売買に入る方もいらっしゃいます。しかし株というものの本質はそうした単純なものではなく、大勢の投資家の集団心理としての欲や期待、そして失望や恐怖の結果として株価が乱高下しているのであり、そこは株価の長い時間をかけた下げと短時間の沸騰、あるいはある期間の待ち伏せ的忍耐の日々や、落ちはじめた株価からの一刻も早い逃避といった定石的な時間の使い方が必要とされるのです。

株のトレーディング技術とは、その意味でまさに時間の使い方であり、同時にそれは自分で時間をコントロールする自己管理の問題となります。

いい換えれば、株は時間との戦いであり、自分との戦いだといえます。

「株のトレーディング教室」ではそのことを踏まえて、投資家がいかに相場と戦うべきかを論理的に実践的にお見せするものですので、ぜひともよく理解され、ご自分の一生の武器とされることを期待しています。

株のトレーディング教室の役割

「株のトレーディング教室」と題した以上、これからトレーディングのノウハウ・技術を提供していきますが、はじめに申し上げたいのは、いかにノウハウや技術の知識を得てもそんなに簡単には上達はできないし、儲けることもできないということです。

株式市場は投資家にとって戦場と考えなくてはなりません。そこは多くの投資家から金を集めてそれを利用して産業界なり、金融界そして国のいわゆる発行サイドが利益を享受するところです。いかにも簡単に誰でも儲かるようにつくられていますが、その基本は投資家から金を引き出すのが目的で、少なくとも私たちに儲けさせるためにできてはいないのです。

したがって、私たちに送られてくる情報や知識・ノウハウらしきものは、そのほとんどが投資家に金を出させるために用意されたものとみなければなりません。さらに株式市場は世界中からプロといわれる人たちがこぞって集まり、毎日金のとり合いをしている場所なのです。そこは素人が素手で迂闊にお金を入れるところではないのです。

したがって、ここでトレーディングの勉強をするということは、これまでの知識や技術をして固定概念をすべて横に置くか、もしくは捨てることを意味し、ゼロからスタートするつもりで臨んでいただきたいのです。そして株式市場がまさに金をとり合う戦場であるということを前提に自分の戦略を組み立てる必要があります。そうでないと私たちの金はいくらあってもザルに水を注ぐようになくなる運命になります。それは今日も株式市場で実際におきていることなのです。

トレーディングの実践においてもっとも大切なことは、まず「投機的なるもの」に臨むときのお金の使い方・守り方です。この世界はすべてがお金儲けのためにあり、お金を利用することで成り立っています。お金があれば大事にされますが、なくなれば見向きもされません。ことに危険なのは投資家が株は経済であり、会社を買うことだと思っていることです。下がった株でも待っていればそのうち株価が戻ると思ってしまうことで、それがさらに下がり続けて結果的に大底で売って大損失を受けるケースです。

株は持つものではないと冒頭にいったのはそのことで、トレーディングにおいて株は投機であり、それは会社とは無関係にどうなるかわからない株価を買うことに他なりません。失敗すれば株価は簡単に半分になったり、3分の1以下、ときには10分の1以下にもなってしまいます。当然、お金もその分なくなります。

まずはじめに資金防衛ありき、それが実際に株のトレーディングを開始する前の基本としなければなりません。

資金防衛の認識がしっかりしたら、次はトレーディングにおいて具体的に株を買うについての分散や集中そして撤退を含めた実践の資金管理（マネーマネジメント）、すなわちお金の動かし方です。どの株をいつ買うかなどは、そうした認識や技術ノウハウがあってはじめて行うべきことです。もちろんいかに多くの資金を引っ張りだすかが仕事の証券会社がそうした資金管理など教えるはずもなく、また株式市場の本質を知らない投資家にあっては、そうした資金管理をした上での株の売買など、ほとんどしていないのが現実です。

「株のトレーディング教室」に入ってくる投資家の多くは、なにかいい銘柄はないか、あるいは簡単に儲けるいい方法はないかと考えて参加してくるようですが、このお金の管理についてしっかりと理解し実行できるようになることが一番大切なことなのです。

資金防衛のことが理解できたら、次は株式市場の本質です。株式市場は私たちの資金を利用していかに儲けるかという場であり、ヘッジファンドなどの投機資金がワンサと押し寄せてくるところですから、誰にでもやり方次第では短期間に大きな利益を手にすることができるところでもあるのです。

問題はこれまでの数多くの投資家と同様に、これからも利用されるか、それともうまくやっている投機資金などと一緒に他人の金を狙えるようになるかにあります。いかなる人も株で儲けようとするならば、誰から安く買って他の誰かに高く売るしかなく、そこから必然的に各銘柄毎に「いつ安く買って、どこで高く売るか」という観点へとつながっていくのです。

株式市場の本質、つまり株の売買の仕組みがわかったら、どうしてもこの「いつ買い、どこで売る」かのノウハウ・技術が必要となってくるわけです。

ということで、

① 資金防衛をしっかりと認識し、実践に応用する

② 株式市場の仕組みを知り、株の本質を理解する

③ 「いつ買い、どこで売る」かの技術・ノウハウを修得する

の3つが「株のトレーディング教室」のテーマとなります。

株のトレーディングのプロトタイプ（典型例）

本書で述べることは、これまで株の売買の実践をしたことのない人、そして幸運にも損をしたことのない投資家には理解しづらいと思います。

株は買わずに見ているときと買った後とでは、投資家の心理は１８０度違ってきます。いったん株を手にすると、株価が少しでも下がると気になり、上がったら上がったで心配になるのが株式投資というものです。

とくに株のトレーディングとは、できれば数週間、長くても１～２ヶ月で短期に株価差益（キャピタルゲイン）を手に入れようとする、きわめて投機的な行為です。そこでは当然、自分だけではなく、他の「投機的買い方」と株価の下げで儲けようとする「投機的売り方」とが入り乱れての戦争状態の中で、利益を手に入れようとする激しい戦いが繰り広げられています。

その中でどのようなスタンスでトレーディングに臨んでいくかが、この「株のトレーディ

トレーディング教室＜資金管理表＞

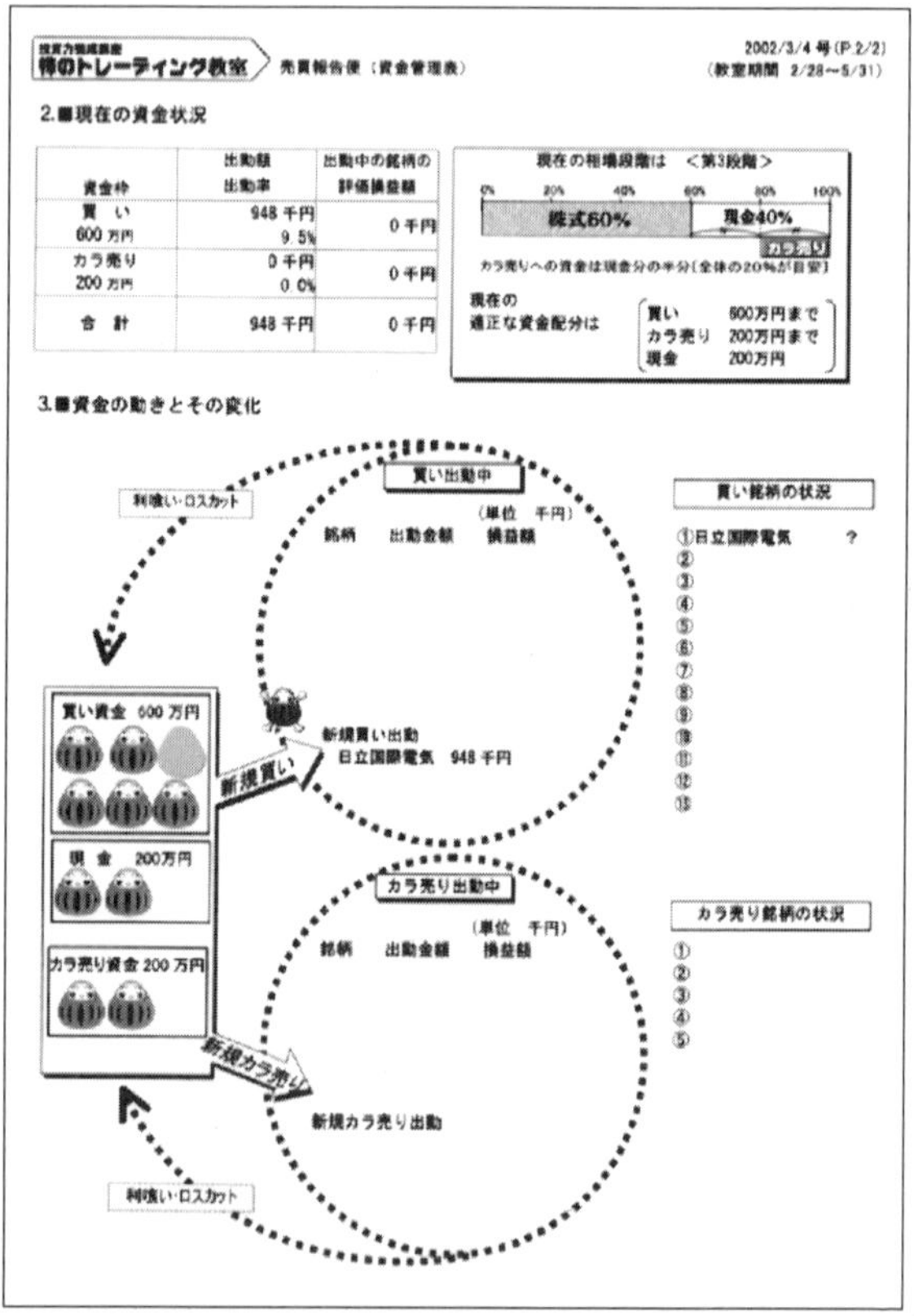
トレーディング教室　売買報告便（資金管理表）

2002/3/4号（P.2/2）
（教室期間　2/28〜5/31）

2.■現在の資金状況

資金枠	出動額 出動率	出動中の銘柄の 評価損益額
買い 600万円	948千円 9.5%	0千円
カラ売り 200万円	0千円 0.0%	0千円
合計	948千円	0千円

現在の相場段階は　＜第3段階＞

0%　20%　40%　60%　80%　100%

株式60%　現金40%　カラ売り

カラ売りへの資金は現金分の半分（全体の20%が目安）

現在の適正な資金配分は
- 買い　600万円まで
- カラ売り　200万円まで
- 現金　200万円

3.■資金の動きとその変化

図表１「株のトレーディング教室より」

①＜資金管理図＞右ページ参照

1. 資金は1000万円を想定しています。

2. 資金投入はその時々の相場状況に応じて
買いは20% 40% 60% 80%と変化します。
カラ売りは10% 20% 30% 40%と買いの半分です。

3. 図のダルマは金庫の中に100万円毎に分けて一塊毎の現金にし、出動すると金庫から出て、撤退すると金庫に戻ります。これはつねに現金を中心に動いていることを示しています。
＊ 資金管理が目でみてわかるようにつくられています。

4. 上記をもとにリアルタイムに売買を行なっていき、それを逐次１日遅れで報告していきます。

コード 銘柄名	種別 株数	出動日 出動値	撤退日 撤退値	5/31 大引値	損益額	
6756 日立国際電気	買い 2000株	3/4 474円	4/17 560円		172,000円	確定
9984 ソフトバンク	買い 500株	3/8 1202円	4/17 2295円		80,000円	確定
8048 シャディ	買い 900株	3/12 1202円	4/3 1130円		▲64,800円	確定
9840 ホーマック	買い 1400株	3/27 710円	4/12 885円		245,000円	確定
7925 前沢化成	買い 700株	4/5 1298円		1291円	▲4,900円	5/31 現在
4217 日立化成	カラ売り 600株	4/9 1500円	4/22 1531円		▲18,600円	確定
9694 日立ソフト	カラ売り 200株	4/17 5460円		4900円	112,000円	5/31 現在
9301 三菱倉庫	買い 1000株	4/18 980円	5/14 923円		▲57,000円	確定
5012 東燃ゼネラル	カラ売り 1000株	5/1 960円			▲90,000円	確定
8057 内田洋行	買い 3000株	5/1 357円	5/29 1050円	365円	24,000円	5/31 現在
4651 サニックス	買い 300株	5/7 2960円		3530円	171,000円	5/31 現在
2261 明治乳業	買い 3000株	5/20 349円		390円	123,000円	5/31 現在
3009 川島織物	買い 8000株	5/21 11円		117円	8,000円	5/31 現在
5943 ノーリツ	買い 800株	5/22 1128円		1180円	41,600円	5/31 現在

5/31 現在	確定損益	266,600円
	評価損益	474,700円
	損益合計	741,300円

図表2 「トレーディング教室」<2002/2月教室より>

投資力養成講座
株のトレーディング教室
金曜日
最終報告便

2002/5/31号(P.1/4)
(教室期間 2/28～5/31)
Rising Sun Asset Management

■これまでの売買

コード	銘柄名	種別	出動日	株数	出動値	撤退日	撤退値	本日大引値	損益額	
6756	日立国際電気	買い	3/4	2000株	474円	4/17	560円		172,000円	確定
9984	ソフトバンク	買い	3/8	500株	2135円	4/17	2295円		80,000円	確定
8048	シャディ	買い	3/12	900株	1202円	4/3	1130円		▲64,800円	確定
9840	ホーマック	買い	3/27	1400株	710円	4/12	885円		245,000円	確定
7925	前沢化成	買い	4/5	700株	1298円			1291円	▲4,900円	5/31
4217	日立化成	カラ売り	4/9	600株	1500円	4/22	1531円		▲18,600円	確定
9694	日立ソフト	カラ売り	4/17	200株	5460円			4900円	112,000円	5/31
9301	三菱倉庫	買い	4/18	1000株	980円	5/14	923円		▲57,000円	確定
5012	東燃ゼネラル	カラ売り	5/1	1000株	960円	5/29	1050円		▲90,000円	確定
8057	内田洋行	買い	5/1	3000株	357円			365円	24,000円	5/31
4651	サニックス	買い	5/7	300株	2960円			3530円	171,000円	5/31
2261	明治乳業	買い	5/20	3000株	349円			390円	123,000円	5/31
3009	川島織物	買い	5/21	8000株	116円			117円	8,000円	5/31
5943	ノーリツ	買い	5/22	800株	1128円			1180円	41,600円	5/31

■現在の資金状況

5/31現在	確定損益	368,600円
	評価損益	474,700円
	損益合計	841,300円

ング教室」の授業課題でもあります。

おそらくはトレーディングの定石についてあまりご存知のない方も多いと思いますので、まず実際に「株のトレーディング教室」のプロトタイプを見てもらいます。

トレーディング技術の修得については、はじめはまず自己流を消して、このようなトレーディングのプロトタイプをなぞる形で徐々に定石や決断の基準を覚え身につけていけば、やがてご自分のスタイル（行動様式）ができてきます。おもしろいもので、やればやるほどその人の個性が発揮され、それぞれ独自のものとなっていきます。

相手はなんといっても百戦練磨のプロたちであり、投機家たちです。最初はとくに定石に沿って守りを固めることからはじめ、小さな損失のうちに潔く処分できる力をつけ、同時に小さな勝ちを積み重ねながら、やがて訪れるであろう大きな勝ちを待つことからスタートです。

もちろん守る力がつけば攻撃は次第に強くできるようになります。

図表1、2をご覧下さい。これは実際にトレーディング教室の中でリアルタイムな相場に沿って行うシミュレーション売買の結果を参加者に毎週ＦＡＸしている定期便というものです。この表をみてわかるように、資金の動きが重要になっています。そこでは資金が出たり入ったりしていますがあくまでも現金が中心であり、現金が株との間を往ったり来たりして

いることがわかるようになっています。

この表では現金が１０００万円あると想定してそれを10等分し、１銘柄におよそ１００万円ずつ等金額で分散していくように設計されています。

その金をどんなときにどのように動かして買い、そしてどこで回収するのかが「株のトレーディング教室」の課題となるのです。

もちろんこうした「株のトレーディング」のプロトタイプを、単に形だけとらえて真似をしても意味がありません。それは結果としてそうなるのであり、なぜそうしなければならないのかを理解しなくてはならないからです。

覚えれば一生ものというのはそのことです。１０００万円が10分割され１００万円の等金額資金の塊になり、その投入量が全体相場との絡みの中で40％になったり80％になったりするのはすべて理由があるのです。

いいといわれる銘柄をただなんとなく買うのではなく、その銘柄に対してどのようなスタンスで臨み、それがうまくいくときといかないときにどのように対処すべきかもあらかじめ決めておく必要があるのです。多くの投資家は株を買うときには儲けるという確信があって資金を投入します。しかしそこにこそ決定的な間違いがあることを理解しなくてはならないのです。

私たちがこれから買おうとするものは明日以降どうなるかわからない、しかも一歩間違えれば私たちに大きな損を与えるかもしれない、きわめて投機的なものであるという認識が必要なのです。

私たち投資家が株の売買、とくに利喰いを目的とする株のトレーディングをしようとするときは、いったいなにが必要なのか、もちろん儲けたいのはわかっていますが、それよりも真っ先に考えるべきことは「大きな損失」の回避であり、それと同等の、いやその後の心理と時間にとって大きなマイナスになるという意味でより悪性の「大きな含み損を抱えた塩漬け株」の排除ができなければなりません。その上ではじめてデカイ利益を狙うのが株というものなのです。

株式投資にまつわる格言・定石のほとんどは、このことを伝えようとしています。

だからこそこの「株のトレーディング」のプロトタイプ（典型例）は、いかにしたら「株を持たないように」するかを命題として組み立てられているのです。

そうした設計思想をしっかりと理解し、おそらくは99％の投資家が陥る大きな損失のリスクを自らの手で制限し、その中でできうる限りの大きな利益を狙うことこそ投資家が今まさに学ぶべきことなのです。

第2章以下を読み終って、もう一度このプロトタイプを見直していただければ、そのことをさらによく理解していただけると思います。

第2章

基礎講座　その1

――実際の例から学ぶ「株・失敗の本質」

1年で5億円儲けて、すぐに5億円損した投資家の話

「この2年間、私はまるで戦争をしているみたいだった。もう株をやるのがこわくなった。しばらく株を休もうと思う」――そういったのは中小企業を経営するAさんでした。

Aさんがそう述懐するのも無理はありません。5000万円を元手に株をはじめ最初の1年間は買うものすべてが大当たり、アレヨアレヨと保有株の時価総額は5億円へと急膨張していったのです。ところが次の1年間はやるものすべてがマイナスとなり、ついには元手の5000万円近くになり、これ以上やったら元も子もなくなるとこわくなって、株を休むことにしたのです。

1年間で元金が10倍になった、もうおわかりのことと思いますが、これは1999年冬からはじまったITバブルが翌年の2月に大天井を迎えたころのことです。

実はAさんが元手にした5000万円は、1998年の年末に国が中小企業向けに実施した上限5000万円までの制度融資による借入金だったのです。当時この国策的中小企業向

けの貸出総額10兆円の20～30％は株式市場に流れたとの噂がありましたが、真相は闇の中です。

この年はなんでもありの小渕政権が誕生し、長期信用銀行や北海道拓殖銀行が破綻、また山一証券が消えた年です。それは年末の倒産多発を回避し、以て金融システム不安を抑え込むための措置でした。

Ａさんは安い金利で借りられるものなら取り敢えず借りておこうと考えたのです。ところが10年余りにわたるバブル崩壊後の金融システム不安の真っ直中では、設備投資などの事業的な使い道がありません。銀行金利もゼロに近いし、安くなった株でも買ってみようとＡさんが思い立ったのが１９９９年の１月のことでした。

Ａさんが株を買いはじめたのは、図表３のようにＩＴバブル（＝金融相場）の出発点でした。

金融相場とは不景気の真っ直中で金利が下がるときにおきるもので、実体経済では設備投資などの資金需要がなく、使い道のない余った金が株式市場に流れ込むことからおきる相場です。当時はご承知のようにバブル崩壊が加速しているときで金利はゼロ金利、まさに未曾有の大金融相場が訪れたのです。金融相場の特徴は強気と弱気が入り混じるため大急騰、そ

図表3　ITバブル時のソフトバンクのチャート

最安値2001年1月11日
8,940円（分割前換算値）
チャート上は2,980円

			上げ幅	
1999年	1月	7,000円		
			1カ月　5,000円	
	3月	10,000円		
			1カ月　5,000円	もの凄い値上がり
	4月	15,000円		
			1カ月　10,000円	
	6月	20,000円		
			1カ月　10,000円	
	7月	30,000円		
			1カ月　20,000円	
	9月	40,000円		
			1カ月　30,000円	
	11月	60,000円		
			1カ月　10,000円	
	12月	90,000円		
			1カ月　30,000円	
2000年	1月	100,000円		
	2月9日	130,000円		
	10日	148,000円	1週間68,000円	
	14日	169,000円		
	15日	198,000円		

して大暴落をおこしやすいところにあります。

Ａさんが株をはじめたのは、まさに奇跡のようなジャストポイントでした。結果的にこの時７０００円ほどであったソフトバンクは１年後には19万８０００円と22倍、光通信にいたっては８０００円ほどから24万１０００円と約30倍にもなったのです。

このように、１９９９年の１月から株式投資をはじめた人はＩＴ関連株を買ってさえいれば、誰でもが３倍、５倍、10倍の世界へ入れる可能性があったのです。こうしたときはむしろ私たちのような株価の循環を考える人間には狙いづらく、高値に飛びついてもそこからさらにグングン上がることがあり、かえって株のこわさを知らない人の方がとんでもなく大きな利益を手に入れられることがあります。

Ａさんもご多聞にもれずソフトバンクや光通信をはじめ、アドバンテストや東京エレクトロン、トランスコスモスなどＩＴと名のつくものはほとんど手掛け、証券会社とはまさに２人３脚、火の吹くような大車輪となって、買っては売り、売っては買いを繰り返し、保有株総額はみるみるうちに急増し、２０００年２月には時価総額５億円をはるかに超えてしまいました。

Ａさんは述懐しています。

「とにかくおもしろかった、買うもの買うものすべて上がる、株が下がるものだなんて当時は思いもしなかった。買ったら上がるものと思い、同時に自分はなんていいカンと選別眼を持っているのかと思っていた。換金するつもりはなかったかって？　とんでもない、私の頭の中は10億円が視野に入っていた。バブルの崩壊は終った。これで日本は立ち直ると確信していたんだから」

当時のAさんは株はＩＴだと思っていたようです。つまりあらゆる雑誌、ＴＶ、新聞どこを見てもＩＴ革命だ、ＩＴを買えといっており、それを信じて買ったら儲かって10倍、それも制度融資で借りた５０００万円が5億になったのですから、笑いがとまりません。濡れ手で粟とはこのことです。こうして株＝ＩＴ＝経済の図式はしっかりとAさんの頭に刻み込まれたのです。その結果、Aさんは株は下がっても持っていれば、そのうちまた上がりはじめるものと思い込んでいました。

そんなAさんですが、ここで一つ決定的な過ちを犯していたのです。それは時価総額5億円にまで保有株の株価が上がっていく途中に、もっと買いたくなり、証券会社のお勧めで信用取引をはじめていたことです。

信用取引は30％の委託保証金をおさめれば売買できるもので、３００万円を預ければ１０

００万円の株を買えるのです。そして委託保証金に替わって保有株の担保（１部上場株で時価の80％の掛け目）でも可能で、１０００万円で買った株券を担保にすればさらに２６００万円分の売買ができるわけです。一方、信用取引には担保の維持率（20％）というものがあり、損失がでた時や担保が目減りしたときは、追加保証金（追証）が必要となります。

Ａさんは勝ち運に乗って、拡大路線をひた走ったのです。こうしてはじめてから１年後には幾度となく売買を繰り返して儲かるたびに保有株が増え、結局、含み益を入れて５億円ほどになっていたのです。

１９９９年から２００１年にかけてのＩＴバブルは約１年半で終りましたが、その有終の美を飾ったのはノムラの「１兆円日本株戦略ファンド」を代表とする多数の大型投信の買いによるものでした。「投信が売れるのは、いつも大天井のとき」というセオリーは今回も生きていました。

２月に設定された投信は記録的なＩＴバブルの天井を演出し、自らの買いで最高値をつけた揚げ句、１年後には半分近くになっていきます。天井をつけた後、ソフトバンクは１ヶ月後に約半値に、２ヶ月後には４分の１になり、１年後にはなんと22分の１にまで下がったのです（ちなみに、２００２年には44分の１になりました）。

Aさんの保有株の時価総額は、みるみるうちに下がっていきました。担保であるIT株の目減りと、買った株の下げが重なるというマイナスのスパイルで追い証が入り、株を投げ売りし、2月から7月までの5ヶ月間で2億5000万円以上も保有株は目減りしました。しかしその時点でもまだAさんは最初の資金の5倍くらいは勝っていたのです。が、Aさんはやめませんでした。目減り分をとり戻そうとさらに買い続けたのです。

ところがこれまでとはうって変わって、買うもの買うものがすべて下がっていくのです。その頃にAさんは不安になって私のところへ入会してきたのですが、いくら説明してもAさんの頭の中からIT信奉は消えず、経済=株=IT銘柄を信じ、目減り分をとり戻そうと株を買い続けたのです。ITバブルの崩壊は悲惨なものでした。結局、Aさんはそこから2億円を失い、結局「いってこい」となり、撤退したのです。

1年で退職金の半分近くを失った投資家の話

「あの証券マンが売らせてくれなかったために、とんでもない目に遭ってしまった」

Bさんは嘆きましたが、もう後の祭りでした。

Bさんは某大銀行を早期リストラ退職された方で、とても真面目で人の良い方でした。

Bさんが私のところへ訪ねてきたのは、ITバブルがはじけ始めた5月頃のことでした。保有株や大量に買わされた投資信託（以下投信）が値下がりをはじめ、損失が拡大しはじめていたのです。

ちょうどその年の4月に出版された拙著『株の実践投資法』を読んで、その中にあった投信の危険性を知り、不安になって来訪されたのです。

Bさんが退職されたとき、すでに株式市場はかなり活気づき、その頃から新聞、TV、雑誌、どれを見ても新しい投資信託が広告されていました。投資信託は当時、大蔵省が商品としてその存廃を論議したこともあり、その危険性をマスコミも一斉に批判、攻撃していたものです。しかし、ITと絡めた投信広告が一斉に登場すると、マスコミはいつもの流行追いと、おそらくは広告収入に負けて、あれほど非難した投信をあたかも新時代の運用方式のように扱い、それこそ日本のメディアは投信一色に塗り変えられてしまったのです。

Bさんもそのプロパガンダ（喧伝）に踊らされた1人でした。聞いてみると株式3000万円、投信3500万円ぐらいとほとんど手持ち資金一杯で、およそ6500万円ほどの資金が投入されていました。

大手銀行の出身らしく、大手のN証券とD証券の2社に口座をもっており、それぞれの証券会社でお勧め大型投信を4つも5つも買わされ、ついには日経平均の上げ下げを対象としたブルベア投信までも買わされていたのです。

Bさんは長年働いて得た退職金が入り、気持ちにも余裕あり、当時はソフトバンクや光通信が毎日続伸し、株式市場が久し振りに賑わうのをみて、2つの大手証券会社へ足を運び、運用の相談をしたそうです。その折に運用可能な資金が7000万円近くあることも当然話していました。

担当した営業マンはここぞとばかり、〝安全のために〟と分散投資を勧めたそうです。投信と株への分散投資です。それは分散とは名ばかりのおそろしく危険な運用でした。株の投信のこわいところは、投信が売れるときはいつも株価が天井をつけるころだという点にあります。株価が上がると買うのが相場における人の習性だからです。

ITバブルの天井は、2月に大量に設定されたノムラの「日本株戦略ファンド」の1兆円を筆頭としたいくつもの大型投信による買いによってつけられました。ITバブルの大天井は結局、個人の金がフル動員されて終ったのです。

Ｂさんもそれに寄与した１人でした。Ｂさんの話を聞いてすぐ私は「とりあえず先のことはわからないが、半分を現金化しなさい」と申し上げました。そして「できれば投信から売りなさい」といいました。

私は、Ｂさんの資金が退職金であり、それは大切な老後の資金の大半だから、市場にいれておいてはいけないと話したのです。収入がある人はもし投資資金がやられても回復が可能ですが、退職された方が大きくやられたときは、致命傷を負うことになるからと。

Ｂさんは快く納得して帰っていきました。しかし数日して電話があったとき、Ｂさんは株式を半分と一部の投信の解約ができたといってきました。投信については証券会社の営業マンの抵抗にあい、解約が進まなかったということです。何やかやと理由をつけ、今売るのは損だ、もうすぐ相場は回復するから待つべきだと執ように抵抗したそうです。

銀行出身で人の好いＢさんは結局、営業マンのいう通りにしてしまいました。悲劇はその瞬間からはじまったといえます。その後の相場の下げで投信も株も手数料などを含めて50％以上のマイナスとなってしまい、Ｂさんは損失を抱えたままになっています。投信を買ってから以降、Ｂさんは毎日下がっていく株価を見て、溜息ばかりつく生活をしています。あのとき現金にしていたら……。Ｂさんは何度も証券会社の営業マンに文句をいいましたが、営業マンはひたすら逃げまくり、そのうち電話にも出なくなったようです。

こうして老後の大切な資金が日本全国規模で株式市場に投入され喪われたのが、ITバブルの発生と消滅だったのです。Bさんの例は決してめずらしいものではありません。株式市場では日常茶飯事のことなのです。

私はいつもいっています。銀行や証券会社に対しては自分の持ち金を決して見せるな、そこは単に金の保管場所であり、売買の仲介をするだけのところだ、運用の相談などする相手でない、彼らに相談するということは知らない他人に金を預けるような危険なことだと。

さて、2つの典型的な株式投資の成功と失敗をみていただきました。

① Aさんは大きな相場のスタートに偶然出合い、元金が10倍にもなる大儲けをしたものの、その後は元の木阿弥になってしまい撤退した。

② Bさんは相場の最高潮の天井で買い、その後株価は急落し、塩漬けにしたままの投信や株の含み損はマイナス50％以上に達している。

以上の2つの典型的な損失事例から、その失敗の本質を探っていきましょう。

株・失敗の本質

[その1]　株価の動きは人間の予測を超える

まず失敗の本質の第1は、株価というものが人間の予想をはるかに超えて上がったり下がったりするということです。ここに株式投資で投資家が失敗する最大の原因があります。投資家の多くは、株を買うということは発行している会社を買うことに等しいのであり、その株価がそれほどひどく乱高下するとは思ってはいません。

投資家はその業績や技術・商品などから成長予想をもとに値上がりを期待して買うのですが、あくまでもそれは会社そのものを買っているつもりでいます。したがって、1年間で2割や3割の上下はあっても、ソニーの株価が3倍とかソフトバンクのように30倍になるなどとは通常は思いもしないのです。ところが現実にあり得ない事態がおきると、それがさらに続くように思い、それは会社が良いからだと思ってしまいます。こうして株価が上がるから買い、買うから上がるというスパイラル（らせん）現象がおきます。

そうなると実体の会社がよい状態になっていることは間違いなくても、株価が2倍、3倍あるいは30倍になることが変だ、おかしいと考える意見はかき消されていくようになります。やがて買わなければ損だという群集心理によって、株価は天井をむかえにいきます。

ソニーやソフトバンクを信じている投資家は、株価が下がってもそのうち再び上がるだろうと考えています。2倍、3倍、30倍になった株が元の値段に戻ることなどありえないと思っています。しかし、人間の予想をはるかに超える結果がおきるのが相場というものです。

株式投資の失敗は、投資家が発行している会社を買ったつもりでいることであり、株価は会社と関係なくいくらでも上がり、また下がるということを知らないところにあります。

【その2】　投資家は株を持ちすぎる

失敗の本質の第2は、投資家は株を持ちすぎることです。儲かれば儲かったで増えた資金をテコにもっと儲けようと持ち株を増やし、損が出たらその損を放置したまま、もっといい株はないかと資金の許す限り次々と仕込んでいきます。

一度火がついたら投資家心理は欲の塊となって相場街道をひた走ることになるのです。とくに大きなバブルが発生するときの投資家の心理は凄い熱気に包まれており、あとから振り返るとそれは狂気としかいいようのない状態となります。

株価が急上昇するときの迫力は凄まじく、１日に10％ずつくらい、ときには20％、30％も上がっていくのですからたまりません。多少の押し目があってもすぐに切り返しグングン伸びていきます。それを見続けていると株価は上がるものであると錯覚し、多少の押し目は当たり前、すぐにも元に戻るどころか大きな利益さえでると思い込むようになってしまうのです。

こうして資金目一杯を株に換えた投資家は、相場の大きな下落にあうと、ひとたまりもなくやられていくことになります。

株を持ちすぎるのが失敗する投資家の特性です。

［その３］　株価が上がるほど強気になる投資家

失敗の本質その第３は、投資家は株価が高くなると買いたくなり、損をした人も負けをとりもどそうとガンガンと高値をつけているものほど早く大きく儲かりそうな気がして買い上がるものです。

なぜ高くなると買いたくなるのか。逆になぜ安いときに買わないのか。それは株式投資の永遠のテーマとなるのですが、2人の事例でもAさんは儲けたら5億円を10億円にしようとし、Bさんは大切な老後の資金を高値の株や投信に資金を目一杯投入しています。

株価というもののこわさをよく知っている私にとっては、それは空恐ろしい光景なのですが、投資家は真面目に真剣に資金をどんどん投入していくのです。それもあとから振り返ると、下を見るのも恐ろしいような高値のときに。

どうして相場が高くなるほど人は強気になっていくのかを分析し、正しい答えを出し、その予防措置を発見すればノーベル経済学賞でももらえると思うのですが、資本主義の世界ではその答えは絶対に公表されないでしょう。なぜなら高値を買ってくれる投資家がいなければ株式市場が成り立たないからです。

［その４］　証券会社の存在

失敗の本質の第４は、証券会社などの存在があります。ＩＴバブルが天井を迎えた１～２月に設定された投信だけ見ても、モノによっては50％以上も目減りしており、兆のつくお金が投資家の手元から消えた勘定になります。しかし銀行や証券会社へは手数料なり管理料だけでも２０００億円ぐらいは入っていることになるわけで、いかに投信が発行サイドにとってメリットがあり、投資家にとって危険な存在かがよくわかります。

そして株価が高くなるほどにノルマを増やして売らせる証券会社は解約を極力避ける営業方針をとっているため、資金を引かせないようにあの手この手で投資家を説得しようとします。証券会社にとって投資家は客ではなく、金を引き出すための存在でしかないのです。

［その５］　投資家は株の実態を知らなさすぎる

失敗の本質の最後は、投資家が知るべきこと、たとえば、いつ買うべきか、いつやめるべきか、どう逃げるのか、あるいは資金の配分などをどうすべきかなどについて、何も知らされていないことです。

投資家が株式投資を研究しようと思っても、それはすべて資本主義的枠組みの中での株式市場に都合よく目的を持って用意されたものばかりです。そのかわり投資家には「いい銘柄探し」が囁かれます。「いい銘柄がありますよ、アナリスト推奨のものがこんなにあるんです」と。そして「もし何もわからなければ、投資信託などいかがでしょうか。運用のプロがみなさんに代わり責任を持って株の運用をしています」と。

書店で売られている本の中味は銘柄、雑誌も銘柄だらけ、そこには儲けるためのお勧めばかりで損をしたときのことなど何ひとつ書いてはありません。まるで株式市場には損失はなく、みんなが儲かるような話ばかりです。実際は全く逆なのに。

こうして投資家は何も知らされず、つねに資本主義の維持発展のエネルギー源として狙われ、金をとられていくことになります。

以上、株式投資における失敗の本質を列挙しましたが、これらの失敗の本質を総括すると、株式投資とはいつ何がおきるかわからない危険なものであり、その危険の本質は、投資家自身や証券会社の営業マンによる人為的なところに多くの原因があるということになります。

株価に乱高下があったとしても、儲けたら現金にし、損が拡大しはじめたらやめることによって危険のすべては自分自身で対応し、コントロールできるはずです。

下がりはじめた株は持たないようにして高くなった株は買わず、みんなが強気になったら気をつけることです。そして自分自身の基準やルールを株式投資の定石といわれるものに合わせてつくり、それを守り実行していけば大きな失敗はなくなるはずです。それには正しい株式投資を覚えるしかありません。

株・失敗の本質の隠された親玉「銘柄主義」

AさんとBさんの2つの失敗事例をもとに失敗の本質について書いてきましたが、ここで投資家の犯す失敗の本質のさらにその上にある、はっきりとは見えないように覆い隠されている失敗の本質の中心となるものについて触れておきます。

失敗の原因となるものはいくつもあり、それらが重なって損失を生んでいることは間違いないのですが、それらが束になってもかなわない失敗の本質の元締め、あるいは親玉といえる存在がこれから述べる「銘柄主義」といわれるものです。

「銘柄」とは一体なんなのか、それがどう投資家に関わり、投資家を悩ませ、苦しめ、揚げ句に損失を与えるかを検証してみましょう。先ほどの事例をみれば明らかなように、Aさん、Bさんが経験にした事実は誰がなんといおうと、いかなる経済理論を持ってこようとも、それは投機的な結末であり、事実は通常行なわれているバクチ以上の悲惨な結果です。経済と連動し、会社が発行している株式を買っているはずなのに、なぜ元金が10倍になったりするのでしょうか、それは明らかに株式が投機であることを示しています。

Aさん、Bさんの例は日本全国津々浦々の投資家の身にもおきていることであり、他人におきることは自分に起きるという事実を、投資家は株式市場に資金を入れる前に学んでおかなければなりません。しかし、そうした損失の実態はいつも過去というページにファイルされ、今の私たちの目の前に現れず耳にも聞こえてきません。実はそれこそが株式市場の本質であり、株式投資自体が銘柄主義に覆い隠された投機そのものであることを隠蔽する力が働いているのです。

株価が下がり、ある投資家が損をすればそれが別の投資家にとってチャンスだというのが株式投資というものです。反対に誰かが損をしなければチャンスは生まれず、チャンスが実現益になるときは高く買ってくれる別の誰かが損失のリスクを買うという投機、それが株式投資なのです。そして私たち投資家の間を往ったり来たりして、損失と利益の仲介をしているのが「銘柄」に他なりません。

投資家は銘柄がそれほど危険なものとは知らずに、一生懸命いい銘柄を探しています。

しかし実体の会社とは別に株式市場内では毎日株価が乱高下しており、その激しさは現実の会社とは全く異なる次元のものであり、よくみれば株価と会社とは明らかに違うものであることがわかるはずです。

株式市場においては株価は発行会社をベースにした、さまざまな理論をもとに決まるといわれていますが、どれもこれも当てにならず、株価が理論と乖離するとアナリストたちは黙って見てみぬ振りをするのです。

株は経済であり、すなわち私たちがよく知っているソニーやトヨタやホンダ、ソフトバンクなどの会社そのものであると語っている人たちの主張には、嘘をついているとまではいえないものの、どこか誤魔化しがあるのです。

株券に印字してある会社名を銘柄といい、株式投資が経済そのものを反映するものであり、発行会社そのものを買い、その会社の成長性を期待するというのが銘柄主義というものです。

銘柄主義が隠している真実

もともと株式投資はどうなるかわからない会社の株を、その会社が成長し業績が上がることでの株価上昇による差益（キャピタルゲイン）や配当を得ることを目的としていました。ところが経済が成長し市場における株価が上昇するにつれ、時間をかけた大きな成長を期待する株式投資は難しくなり、それよりも景気の循環や変動で生じる短期的な株価差益をとろうとする投機的な株式投資へと変質していくことになったのです。

しかし株式市場の本質は、投資家の金を集めてそれを証券界が中長期資金として利用し、一方で株を買った資金が株式市場から流出しないように投資家に株券の形で長く保有してもらうことにあります。

そのためには投資家に対しては信用の置ける発行会社＝株という図式を堅持し、株は持つものという中長期投資の概念を定着させる必要があるのです。〝いい銘柄を買い、そして保有せよ〟それを徹底して投資家に植えつけたのです。アナリストたちの分析にもとづく企業価値や、収益にもとづく株価の算定はそのための単なる補助にすぎません。

こうして「いい銘柄を探せ」は株式市場へ投資家を集めるための金科玉条となったのです。「銘柄主義」には証券会社にとって大変都合のよいことがあります。さきほどの事例も含めて期間を限定しなければ、95％の投資家がやられるといわれるように、株価は激しく動き、とくに多くの投資家が参加してきて大量に買われた後には大きな下げがあります。そのため本来の株式投資はいつどの銘柄を買い、どんなときに売って儲けるかであるべきであり、それはこのあと述べるように大変むずかしい作業であり、かなりの技術、ノウハウが必要とされるのです。

銘柄主義では、これを買え、だめならそれを買えといい、会社や成長性がありそうな銘柄を並べれば投資家は自らすすんで買ってくれるのです。つまり、銘柄とは投資家を引きよせる播きエサのようなものです。銘柄が証券会社や専門誌などを通じて頼みもしないのに大量に、しかもタダで流れてくるのはそうした事情によるのです。この銘柄主義の落とし穴に入り込んだら最後、投資家は損失の連鎖から抜け出せなくなります。

なぜなら、いい会社の発行している株を持つという特有の概念が発生してしまうからです。株価とそれを発行している会社とは違います。株価は下がりはじめれば理論値をはるかに超えて下がるのであり、買い手が出るまで下げ続けます。私たちが株を買うのは実はある期間の株価を買うことに等しく、実体の会社を買っているわけではないのです。

私たちが買っているのは、実は株価そのものであり、それは受け取る株券とは関係なく、単にいくらで買っていくらで売るかだけが問題なのです。Aさん、Bさんの失敗も結局はこの株式市場が隠している大きな罠の中で起きたことでした。

成否は投資家の金の使い方にある

前項では投資家の失敗例のプロトタイプから株式投資の「失敗の本質」を学びました。では、その「失敗の本質」がつねに投資家につきまとうものであることを踏まえた上で、私たちが株式投資で勝ち残っていくためには何をどうしていくべきか、それが「株のトレーディング教室」の中心課題になるわけです。そしてその中心にあって最重要なのが資金の使い方、すなわち「資金管理」に他なりません。

先ほどお見せした「トレーディング教室」のプロトタイプは「失敗の本質」から投資家を

守る最大の武器である資金管理をいかにうまく効率的に行うかに、その基本的設計思想がおかれています。株式投資の成否は資金の使い方にそのすべてがかかっているといって過言ではありません。そこで資金の使い方に関して、次の３つのポイントについてみていきましょう。

①　資金管理（マネーマネジメント）そのものがない。

②　株式投資は会社を買うことだと思っている。

③　損は絶対にイヤ、勝つまでやめない。

(1)　資金管理（マネーマネジメント）そのものがない

株式投資とは何かといわれれば、それは資金を活用して株価差益を手に入れようとする行為に他なりません。したがって、お金をいかにうまく効率的に動かしていくかが、その成否を決めることになります。それゆえに株の定石においてもっともタブー（禁忌）とされているのは、元手の資金を大きく減らすおそれのある危険な集中投資であり、借金によるレバレッジ（テコの原理）投資です。そして絶対に守るべきことは分散とロスカット（損切り）と休みをとることです。

投資家には、こうした投資の原則がありません。それはこれまでの生活においては、そうした原則やノウハが必要なかったからです。そして自分だけはうまく株で大きく儲けられると考えており、間違って大きく儲かったりすると投資額が歯止めなく拡大していく傾向が強くあります。その結果、たとえ金持ちになったとしても一瞬のことで、あっという間に元に逆もどりするのもこうした投資の原則を守らないためなのです。

投資のタブーや定石の多くは、資金をいかに守りながら攻めるかにあります。それは金持ちになれた人たちの多くが実践してきたことでもあります。

その意味で株式投資においては、用意された資金をいかに使うべきかのノウハウとしての資金管理こそが成否を分けるのであり、その最重要課題は投資家のやりたいようにさせない枠をいかにつくるかにあるのです。

資金管理の原則は１００％の投入は絶対にせず、少なくとも20～30％は現金にしておき、状況に応じて株式と現金ポジションの割合を変えていくことにあります。冒頭に見ていただいた「トレーディング教室」のプロトタイプは、まさにこれを実践しているものにほかなりません。

明日のことなどわからない将来に対して、資金を投入したままでいることの危険をあらかじめ回避し、いかなる事態がおきても冷静に耐えられる資金投入を励行する必要があるのです。この目立たないけれども、もっとも大切な資金管理に対する考え方を投資家はしっかりと身につけなければなりません。

ところが投資家のほとんどは、勝って資金が増えるのを前提としてすべての戦略を組み立てて資金を目一杯投入します。予想もしない事態が発生したときに、どのように撤退するかを考える人は、まずいないといってよいでしょう。

底値を拾って大きく儲けようという戦略ならまだしも、株価が上がってきてから証券会社のお勧めや雑誌などの銘柄情報で買うような投資家は、高値を買ってしまうことは必至です。それがどれほど危険なことかも知らずに、ただ儲けよう、儲けたいと、目標１億円を目指して投資に直進するのです。

そこには自分のお金を増やすことしか頭になく、ひょっとして損をするかもしれないということへの用意周到な準備や対策はあません。お金をどう使うかがあって、はじめてお儲けができるということを投資家はしっかりと理解する必要があるのです。

(2) 株式投資は会社を買うことだと思っている

投資家というものは、みんなそれなりにこれまでの経済社会の中でうまくやってきた人が多いものです。

彼らにとってソニーやホンダ、ソフトバンクなどは世界的企業であり、とてもいい会社で、そうした会社に関わりを持つことを喜んでいます。ソニー、ホンダ、ソフトバンクなどの株主になることは、一つのステータスであり誇りにもなると考えているのです。ある意味で、自分たちが果たせなかった経済社会での大成功事例とつながりを持ちたいのです。

「私はこの会社が好きだ、信じている。この会社がダメになるくらいなら損をしてもいい」と言う人がいます。

それはある種のロマンでもあるのですが、金を儲けることが目的の株式投資にとっては致命的なマイナスに作用することが多いのです。もし、本当にそれらの会社が好きで、常にその会社の株が暴落して下げ止まったときの安値を買い向かっていくことをずっと繰り返し実践していくのなら、それはそれで正しい投資手法になります。しかし、ただ好きだから、信じているからと、みんながワァーワァーいって買っているときの高値を買うのは絶対に間違いです。

銘柄を信じている人は、この会社はいい銘柄だからきっと将来株価は上がる、今買っておけば必ず儲かるはずだと思うのです。それは証券会社やその周辺部から流されてくる銘柄情報そのままに、株式市場の合言葉「先は高いから今買うべし」に沿って将来をその会社を信じて買っているのです。

その結果は資金の集中を引きおこします。とにかく本人が確信し、信じきっているため、大金を投入して心中するようなつもりになってしまうのです。いくら株価が下がっても、そんなはずはない、そのうちきっと株価は上がり、利益だってでるはずだというように。

こうして含み損を抱えた真性の塩漬け株が日本国中につくられていきます。

それはなにも私たち個人投資家に限らず、機関投資家などもほぼ同じようなレベルであり、いい会社を買い続けて損を拡大しているのです。それも証券会社から派遣されている優秀なアナリストたちの勧める株を買った結果です。

個人投資家と機関投資家の担当者たちは、銘柄選択においてはまことによく似た行動をとっているわけで、それは経済＝株＝銘柄という図式をしっかりと信じていることからきているのです。先のトレーディング教室のプロトタイプ図における資金分散が等金額になっているのは、こうしたことが起きないように、すべての銘柄を同位置に置いて、銘柄への偏向を排除するためなのです。

(3) 損は絶対イヤ、勝つまでやめない

投資家からの相談を受けていて一番思うことは、いったん株を買ったら株価が下がって損が増えてもやめない投資家が多いことです。いつも彼らは言います。「損切り（ロスカット）は大切だ、よくわかっているよ」――しかし現実には損切りしません。これはいい銘柄だからひょっとしてすぐに戻るかもしれない、もうちょっと様子を見てみたい、と期待し未練を残すのです。

つねに勝つことを前提とした株式投資ほど危険なものはありません。株式投資はどんなにいい銘柄の株価でも、短期に半分になったり3分の1になることなどはよくあることです。1年のうちで上がっているのは1～2ヶ月、あとは下がっている方が多いのが株価というものです。

そのあたりのメカニズムは後ほど詳しく述べますが、とにかく株価は明日どうなるかわからないものです。株式投資で株を買うときに勝つことを前提に出動することは、実に危険なことなのです。しかし、資金的にも比較的余裕のある方は資金を増やしたいという気持ちの方が強く「今やめれば損が確定し資金が増えるどころが減ってしまう、嫌だ、明日には戻るかもしれない」といってやめません。

なまじお金があると多少の負けは許容できるのです。こうして含み損を抱えた塩漬け株が1つ2つと増えていくことになります。そのときすでに大きな損失の火種がつくられています。

一般に株式投資の勝率は5％といわれています。もちろんそれは投資家がやりたい放題でやっていたらの話です。とくに証券会社やアナリストのお勧めで高値のいい株を買うことの多い投資家は、ほとんどがこの前後の勝率となります。もし一度買ったらやめない投資をするのであれば、米国のバフェット氏のように、今は誰も注目していない安い株価の株を買い続けていけば、それは立派な株式投資です。しかし、みんなと一緒になって高値を仕込んでおいて損が出てもやめないのでは、それは株式投資ではなく損失投資といわざるを得ません。

やがて投資家の手元には含み損の株が増え、たまに勝つことがあってもそんな投資家に限

図表4　損のサイクル

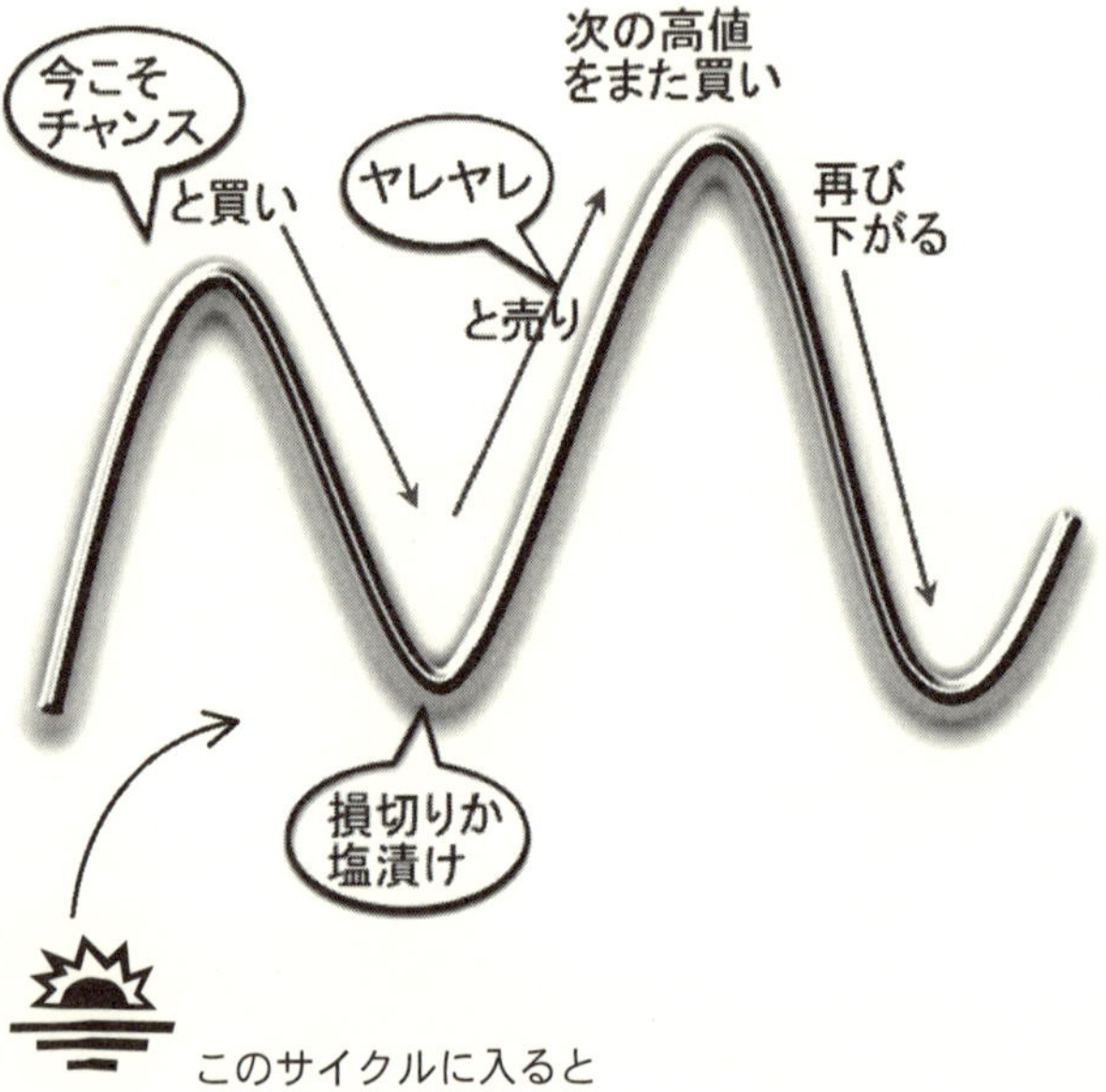

このサイクルに入ると
なかなか抜け出せなくなる。
買いはいつも安値を‼

って1割とか2割で利喰ってしまうものです。勝ちは小さく負けが大きい投資が進行し、資金の半分以上が塩漬け株となっていきます。

こうなってくると、投資家の心理に焦りが生じます。なんとか負けをとり戻したい、そこへ証券会社から「アレがいい、コレがいい」とお勧め銘柄情報がひっきりなしに届きます。勝ちたい投資家の眼には、すべての銘柄がチャンスにみえてきます。

損失の拡大は集中投資を強要します。一発大逆転を狙うためです。ときには塩漬け株を担保に、信用取引で大勝負ともなります。こうして負けるたびごとに資金投入は増えていき、資金管理などはとうの昔になくなり、あとには負けが拡大することへの焦燥感と戻そうとする焦りが投資家の心には深く棲みついています。これは決して誇張ではありません。すべて事実のままに書いています。

一度負けのサイクルに入ってしまった投資家には、つねに高く買い安く売るサイクルが待っています。塩漬け株が相場の上昇によって幸運にも戻ってきてヤレヤレと売って、買うものがまた高値となります。それこそが証券会社の手口でもあります。「ほら戻ったじゃないですか、ここで売って次の銘柄を買いましょう。下がっても持っていれば大丈夫ですよ」――しかし、次に買う銘柄も再び高いものを買うわけですから、同じことの繰り返しになります。

そのうちに本物の下げがきたとき真性の塩漬け株は半分以下、ときには3分の1、5分の1となるものもあり、ほとんど回復不可能な領域へと入っていくのです。

無理をしている投資家はとくにこうしたプロセスに入りやすいので、気をつけなければなりません。損失金額を小さく抑えていれば、たとえ損がでてもトータル金額は知れています。しかし、損失の拡大を放置していると、回復どころかさらなる損失が拡大し、結局、元も子もなくすことになります。

株式投資の原則は「勝っても負けても、やめること」です。それを覚えない限り、投資家は負け続ける運命から逃れることはできません。だからこそ投資家は資金防衛の重要性を認識することからはじめる必要があるのです。

「株のトレーディング教室」において、まずはじめに資金防衛について学んでいただく理由は、そこにあるのです。

「いかにうまく止められるか」そのためには株は持つものではなく、つねに現金を中心に考える必要があります。現金にしておけば、それ以上減ることはないからです。

第3章
基礎講座　その2
――株価と出来高

株価は期待の産物である

株価は毎日目まぐるしく変わっています。ひどいときには1日（市場の開いている時間は4時間半）の中で、10％を超えて20％、30％も動くことがあります。もし株価が経済や企業の価値などのファンダメンタルズ（基礎的条件）によって動くとするなら、1日で経済や会社がそれほど変動することはありえないわけですから、株価は経済などのファンダメンタルズとは別のところで決まると考えなければなりません。

実は株価というものは、同数の売り株数と買い株数が交渉によって合意された結果（値段）であり、売り手と買い手のそれぞれの思惑で決められたものです。

このことは株が擬制資本（人間の思惑で値段が決まるもの）であるがゆえの宿命的なメカニズムであり、株で儲けようとする人は必ずこのプロセスを通過しなければなりません。

わかりやすくいえば、1000円で1万株買いたい人がいて、同じ1000円で5000株の売りがあれば、5000株の取引が成立して株価は1000円となります。残った50

00株の買いは売りものがなければ、1010円で買いたいと値を上げるしかありません。そこで3000株の売りものが出てくると再び取引は成立し株価は1010円になります。しかし、それ以上の売りものがないと残った2000株は買えず1020円、1040円と買い値を上げていき1050円に売りものがあれば、そこでようやく1万株すべてが買えるわけです。

これは買い手が多い場合で、逆に売り手が多ければ同様のプロセスが逆回転し、株価は下がっていくことになります。

投資家の多くは、株価は業績や景気といった経済のファンダメンタルズで自然に上がったり下がったりしていると思っています。しかし下がっているときでも売っている分だけ買っている人がいるわけで、単に株価が上がったり下がったりしているのではないのです。そこにはいつも人間の思惑、つまり相場観での売買が繰り返されています。

そしてこの思惑や相場観において、ほとんどの人が間違いを犯しているからこそ株での損失が発生しているわけで、株式投資における成否は、この原則をいかに自分にプラスに応用するかにかかってくることになります。

それはいつ買い手になり、どんなときに売り手になるかを決定する作業であり、平均的な市場のコンセンサス（合意）からは遠ざかる必要があるのです。なぜなら投機的なものはいつも少数の勝者と多数の敗者の上に成り立っているからです。

次に、株価は売り手と買い手の間でその時々の思惑によって決まってしまうのですから、株価には絶対的な基準がないことになります。株価決定のためのさまざまな理論や指標がありますが、すべて株を買わせるための基準であり、実際の取引の絶対的基準にはなりません。その証拠に、証券界では株価が上がったり下がったりしてその指標が使いものにならなくなると、いつの間にか別の指標が用意されるというのは日常茶飯事なのです。

それでは一体、株は何をもとに買われるのでしょうか。それについてもさまざまな意見、理論がありますが、株式市場でおきている事実をもとに強いて定義づけるなら、それは発行企業の成長性を買うといいながら、実はこの先に実現するに違いない、あるいは実現するかもしれないという将来への期待を買っているといえます。さらに、実際の日々の売買においては、今買えば将来高くなるだろうという漠然とした投資家の期待が株を買わせるのであり、成長性の分析などでその株価が上がっているのをみて、この上がり方ならすぐにもかなりの儲けが手に入りそうだという安易で刹那的な動機がほとんどです。それはその企業の成長性、つまりずっと先の業績、それも1年、2年以上先の成長性を買っているはずなのに、ちょっと下がるとあわてて売っている投資家があまりに多いことからもわかります。結局、みんな上がっている株価に飛びのって楽に簡単に儲けたいだけなのです。

米国のナスダック市場は指数が５０００ポイント超まで上がり、その後１３００ポイント台まで下がりました。

天井時は期待が期待を呼び、まだ株を公開したばかりで収益など上がっていない企業の株が買えば上がる、上がるから買うのスパイラルで株価はうなぎのぼり、5倍、10倍などは当たり前となりました。当時ナスダックで業績絶好調のマイクロソフト社一社の時価総額が、香港と台湾を足した2つの株式市場の合計時価総額と同じになるなど(１９９９年12月)、成長性などではとても計算できない異常に高い株価が出現してしまったのです。

また同時期に日本でも光通信が24万１０００円、ソフトバンクが19万８０００円と1年でそれぞれ28倍、30倍にもなっており、まさにＩＴバブルの中で期待が期待を呼び空前の高値となりました。これなども現実の企業とはかけはなれた市場の期待（思惑）の累積が、狂乱株価を演出したのです。

平常時には株価というものは冷静で、指標的な数値に準ずるように見えることもありますが、期待が高まり強い継続的な買いが続いて株価が上がりはじめると大変です。なんせ人間

図表5　膨らんだ時価総額

米国株上位４社の時価総額	
マイクロソフト	5,563億ドル
Ｇ　Ｅ	5,039億ドル
シスコ・システムズ	3,632億ドル
ＡＯＬ	1,464億ドル

アジア株式市場の時価総額	
香　港	3,240億ドル
台　湾	2,170億ドル
マレーシア	1,260億ドル
韓　国	1,130億ドル

ほぼ同じ時価総額

米先物市場の建玉	
ＷＴＩ原油	149億ドル
ガソリン	27億ドル
金	45億ドル
トウモロコシ	50億ドル

(2000年1月現在)

の欲が絡んだ期待が値段を決めるのですから、果てがありません。バブルの頂点でいくら銀行が金を貸すから土地を買えと勧めたとはいえ、１ヶ月で何億円もの地価が倍になったこともあるのを思い出せば数百円、数千円の株価が1年で30倍になることなど朝飯前というのが、株価すなわち人間の欲望で動く擬制資本のこわさです。

こんな調子ですから、反対に期待して買ったものの、それが実現しないとわかったときの期待から失望への切り替わりも同じくらい凄い勢いで行われることになり、下がる前にいち早く逃げようと一斉に売られます。そうなると株価は大きく下がっては少し買われ、また大きく下がるという下げのスパイラル（らせん現象）に入ってしまうのです。いろいろな値段がつくということはどれも正しく、これが絶対に正しいという値段はないわけですから、売りが止まらなければ株価は下がり続けることになるのです。

株価は一直線には上がれない

株価というものは上げ下げを繰り返しながらジグザグに上がっており、決して一直線には上がってはいません。もちろんストップ高（買いが多すぎて値がつかず、気配のまま上げて1日の値幅制限一杯まで株価が上がること）のときは途中で取引ができないので一直線に1～2割というような大きな株価の振幅がありますが、それはきわめて例外的です。通常は1日の中でコンマ以下の％から数％の振幅で、ときには1週間、1ヶ月、1年というサイクルの中でも大きな上げ下げを繰り返しています。

人気があり、先が高ければ、株価は振幅を繰り返さず直線的に上がるはずですが、実際はそうではないのです。実はこの事実を理解しているのとしていないのとでは、株式投資の手法そのものが全く違うものになってきます。

図表6をご覧下さい。これは株価の決定メカニズムをわかりやすく図解したものです。株価は1日の中でも何回も取引が行われ、その時点時点で株価は異なります。そして大切なことは、株価は1日1日の積み重ねの上げ下げで決まっていくのであり、将来は毎日の中でその日ごとに評価されていることです（少しむずかしくなってきましたが、ここは我慢のしどころです）。

株価は毎日、売りと買いの洗礼を受け、その時々の株価はすべて買い手と売り手とが合意した値段です。ということは買い手はこれから先、株価が上がると思うから買うのであり、

図表６　１日の中で株価は上げ下げを繰り返しながら進む

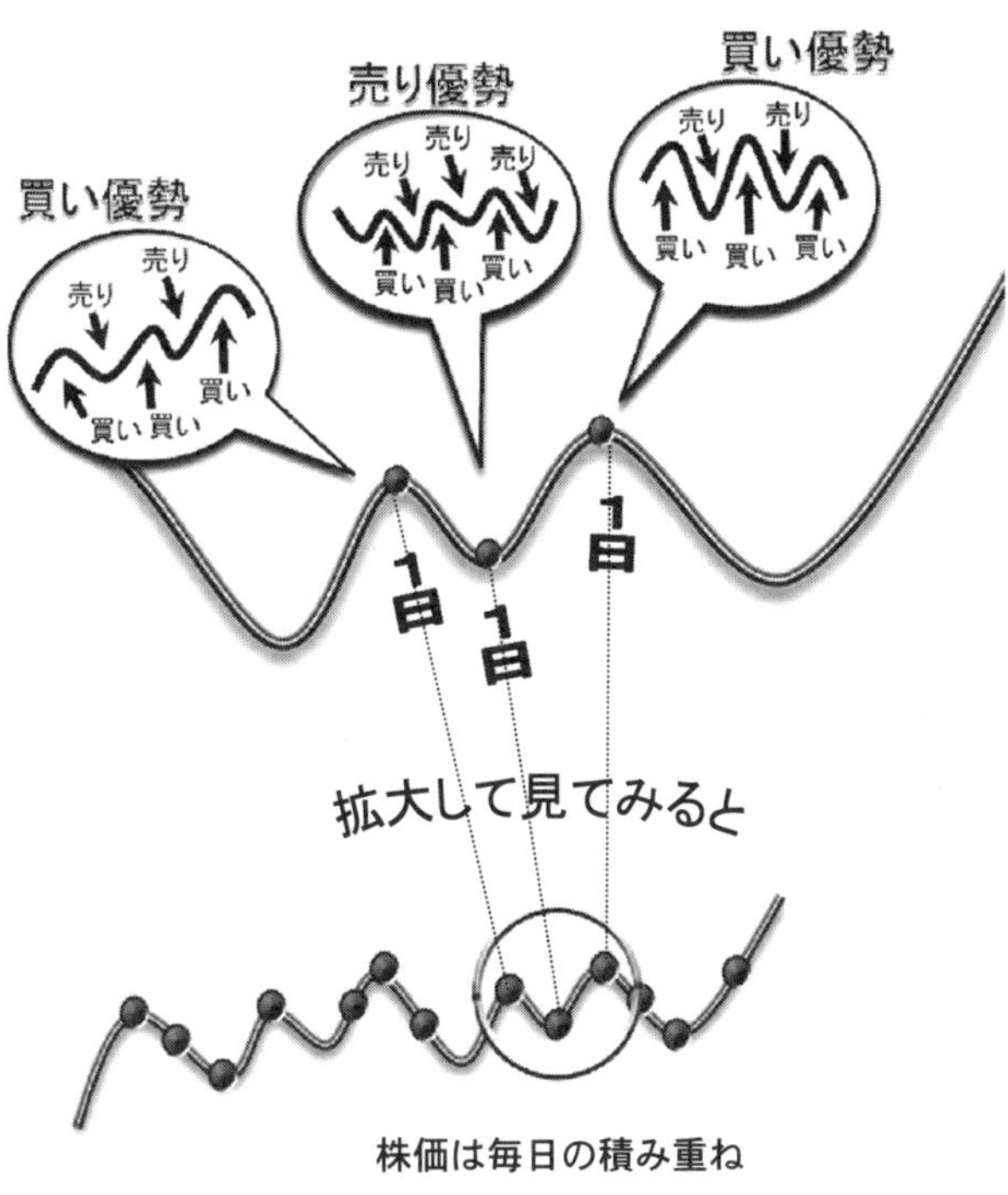

売り手はここが売りのチャンスと思うか、もしくは換金のため止むなく売っているかのどちらかです。ただ全体としてこれから上がると思う人と、同じ株数の今が売り時と思う人がいることになり、そこで合意された値段は将来を考えて、一方が買い場、他方が売り場と判断したのが株価であるということです。どちらが正しいかは、その時点ではまだわからないのです。

つまり、毎日の取引が成立する株価はマーケット（市場）における合意（コンセンサス）であり、いつも正しい値段であり、明日の株価は明日の売り手と買い手が決めるのです。

よく今の株価は安いから買い場だというお勧めがありますが、それが将来上がると予測した値に比して安いから買いというのは間違いなのです。よくあることですが、目標2000円といわれれば今の1000円なら誰でも買いたくなります。しかし今の1000円はマーケットで合意された取引価格ですから間違いなく正しいのですが、目標2000円というのは全くアテにならないデタラメな数字にすぎません。証券会社などがよくやる年末平均株価を高くいうのも同じレトリック（自分たちに都合の良い論理）のひとつです。

いかがでしたか。日々の株価が売り手と買い手との判断の結果の積み重ねで決まるために、上げ下げを繰り返すことがわかっていただけたことと思います。

さらに株を買うということは、いかなる場合においても、いつかは売り手になることを意味します。売らない約束で買った持合い株も今では売られています。役員として売れない人も辞めたり、亡くなったりすれば売られることになります。

通常、株は儲けようと思って買うもので、利喰いか損切りかは別として、買った途端にいつの日か売る「売り手」にかわるのです。これは大変重要なことを意味しています。つまり、ある日の取引が終った株式市場においては、すべての株（発行済株式総数）は売られる可能性を持ったものだけになるのです。

実におそろしい真実です。いつ売られるかは別として「すべてが売りもの」とはなんということでしょう。これが株式市場の本質であり、だからこそ国や証券会社が株式市場を活性化し、個人投資家に株を買わせようとするのです。

もし新しい買い手が現れなくなれば、株式市場は売りモノだらけの地獄のような場と化すのです。10年以上にわたる下落相場の中で日経平均株価が3万8０００円から9０００円台へとなったのは記憶に新しいところです。

すべての株の中には利喰いや損切りという投資家の意思とは無関係に、事業や商売の都合で換金を迫られるものが多くあるため、ウリは毎日どこからか必ず出てきます。したがって、売りたい人のために買い手を集めるのが株式市場であるともいえ、その営業部隊が証券会社という存在に他なりません。

もちろん私たちも買ったらすぐに売り手にまわるわけですから、株で儲けるためには私たちが買った後から買い手が数多く集ってもらわなければなりません。つまり私たちに株を買わせようとする証券界は私たちに儲けさせるためではなく、売りものを買わせるためであることはむしろ当たり前のことになるわけです。

だからこそいかに安く買って、高くなったところで売り抜ける技術を修得する必要があるのです。

株価が与える錯覚「高値覚え」

一度ついた高値は、それをみていた人々の頭からなかなか消えないものです。それを株式用語では「高値覚え」といいます。その高値をとくに強く印象づけ、映画の残像のように私たち投資家の心を動かすのは、その高値に至るプロセスなのです。とくに時間をかけて株価が大きく上がったときの高値覚え現象は一層強力になります。38頁のソフトバンクの株価上昇プロセスをもう一度見て下さい。

このように、7000円であった株価が1ヶ月毎に倍近くなっていたプロセスがよくわかると思います。そして1999年11月頃から、1ヶ月で買い値の4倍になるような現象が現われて、最後の1週間では買い値の10倍近い大急騰が起きています。それは凄い相場でした。

ソフトバンクはこの後2000年4月に3分割されているので、19万8000円の高値は3分の1に換算すると6万6000円になります。

さて、ソフトバンクは結局2001年1月には2960円と高値から22分の1まで下がってしまうのですが、このとき「高値覚え」現象が続発することになります。

下値からソフトバンク株を売らずに、あの歴史的な高値を経験した投資家はほとんどいません。5割で売った人、2倍で喜んで利喰った人、5倍で大喜びした人、10倍で天にも登る気持になった人、そして端からその大沸騰を眺めてホゾを噛んでいた人たちにとって、それはあまりにも強烈な株価上昇でした。まさに1年かけてソフトバンク株の「高値覚え」は、日本中の投資家の頭に焼きついたのです。

ソフトバンク株は2000年2月15日の大天井の翌日には▲20%、3月10日には▲50%、

図表7　高値覚えの図

ソフトバンク週足図

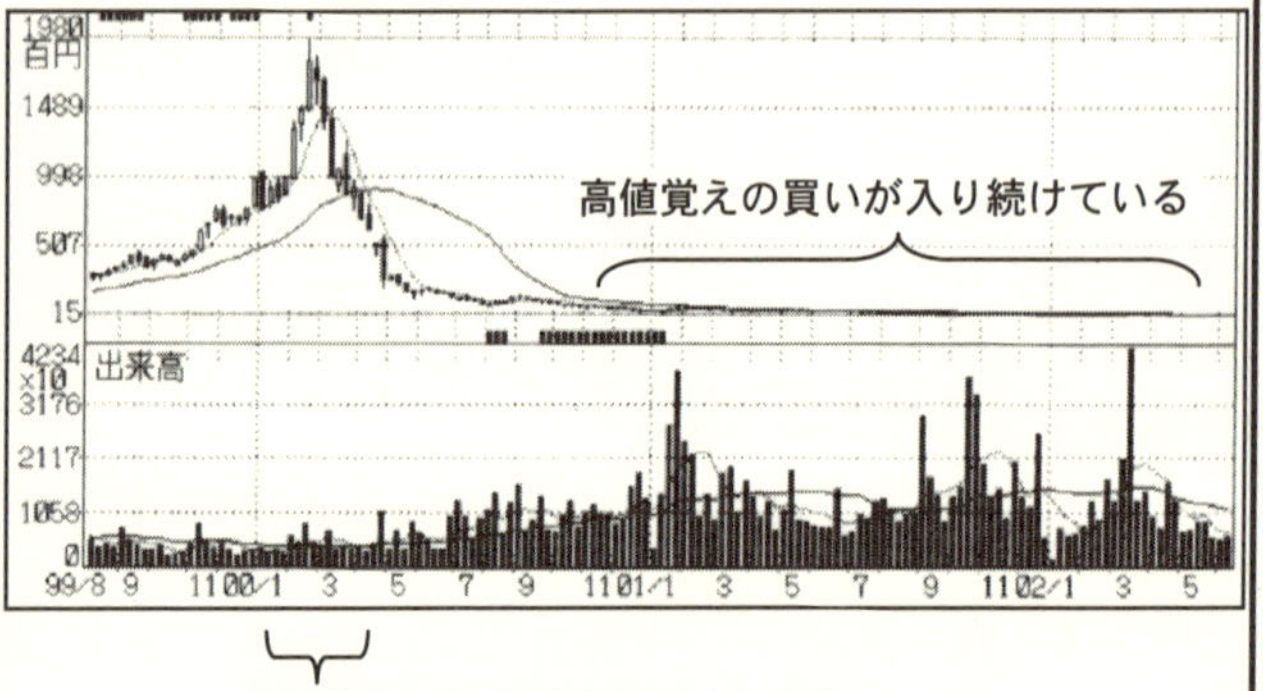

人気があり大きく上げた銘柄ほど、下げていく途中で買いが入り、それが次の売り手となってさらに株価を下げることに。

4月20日には▲75%になっていました。大暴落です。4月27日に株式3割が行われましたが株価は下がり続け、翌2001年1月には2980円（分割前換算では8940円）と▲95・5%まで暴落したのです。

しかし、ここで異常事態が起きていました。この間ソフトバンクは、連日個人投資家の売買代金第1位を続けたのです。つまり、個人投資家にもっとも買われたのがソフトバンク株だったのです。本来、下げ過程では買いが入りにくいのに、さらに22分の1にもなった大暴落の途中にもかかわらず買われ続けたのです。それこそが「高値覚えの押し目買い」に他なりません。

とくに株価が1万円の節目を割ったときは「ソフトバンクがこんなに安くなった、チャンスだ」と高値覚えの新規買いと、これまでやられた投資家のナンピン買いがドッと入りました。

しかし株価は下がり続け1万円割れで大量に入った買いは、すぐに売りにまわって再び下げの連鎖となったのです。それは8000円、5000円割れでも入りました。大量の高値覚えの押し目買いは、すぐに売られるものと持ち続けられるものにわかれます。

ここでよく考えてみましょう。先ほど株価は人間の期待で買われると述べました。ソフトバンク株には日本のＩＴ革命の旗手として、また米国ナスダック市場での活躍から世界のソフトバンクとして投資家の人気を一身に集めたようです。一国の総理大臣までもがＩＴだ、ＩＴだと叫んだ結果、個人も機関投資家（投信・生損保・銀行）、年金などすべての資金がＩＴに向かい、いわゆるＩＴバブルがおきたのです。

期待の集中と買い手の集中、それは先ほどから述べているように、株価を際限なく上昇させるプロセスに他なりません。株価の高騰によってこれまでの株価を決定する理論が通用しなくなると、市場の関係者はこういうのです。「新しい時代がきたのだ。これまでの理論は意味がない」――こうして株価に整合性を与えるニューエコノミー理論が生まれたのです。

しかし株価は暴落してしまいました。先ほど1万円を割ったとき（3分割前なら3万円に換算）、これは割安だ、ここは買い場だと考えた人は19万８０００円の高値と比較していたのです。上昇前のソフトバンクの株価は７０００円ほどでした。実はこの時でもすでにソフトバンク株には相応の期待がかけられて、この値段であったわけです。つまり下げ過程の１万円割れ（分割前なら3万円）は、まだ急騰直前の７０００円の4倍以上の株価であったのです。それが高いか安いかの検討があってはじめて、買うかどうか決めるべきであり、単に安いと判定できる水準ではなかったのです。

これと同じ現象はＩＴ関連として買われたほとんどの主力ハイテク株にも現われ、足かけ2年にわたって株価は下げ続けることになります。もちろんハイテク株の好きな日本の投資家が、値頃感から高値覚えの押し目買い、ナンピン買いをした揚げ句、こぞってやられたことはいうまでもありません。

人間が、安いとか高いとか感じることは実は大変にいい加減で、直前の状況に大きく左右されるものです。株が人間の思惑で決まる擬制資本であるがゆえの恐ろしい錯覚がおきるのです。ご用心下さい。

出来高が株価の運命を変える

次は株価の方向性を決定する上で、もっとも重要な出来高について述べたいと思います。話の展開を助けるために、１つの質問をさせていただきます。

まず、あなたがこれから商売をはじめようとしていると考えてください。

ここに産地の違うリンゴが2つあります。値段は同じ200円で利益率も同じとします。両方ともまだ市場にはじめて出た品種です。

あなたがこのリンゴのどちらかを販売しようと考えて、試しに半値の1個100円で実験販売をしたところ、一方は100人以上の人が買い、もう一方は1人の人しか買いませんでした。これからあなたはどちらのリンゴを販売したいと考えますか。


この問題は買い手の数が多いか少ないかが、今後のリンゴの売れ行きにどんな影響があるかを考えるものです。

私たちが商売をはじめるときに扱う商品が今後売れるかどうかを確かめるのには、買い手がどんな商品を求めているかを知ることです。1人の買い手より100人の買い手があったリンゴの方が、今後売れる可能性がはるかに高いことは誰の目にも明らかです。そして買い手が増え続ける間は、売上利益も急増するはずです。

つまり、取引量が多いということは買い手の関心が高いことが明らかであり、さらに多くの関心が集まる確率が高いわけです。

さて話を本題に戻しますと、株価は売り手と買い手が合意して決まりますが、その時どのくらいの株数で値段がついたかを表わすのが「出来高」に他なりません。

つまり出来高とは株の取引量であり、どのくらいの買い手が（反対からみれば売り手）いたかを示すものです。このとき株式市場全体としては、売り手は無尽蔵にいくらでもいるのでその一部が売り手として現われたにすぎません。しかし買い手は、新たに資金をつくってまで買ってくるのですから、買い手の数は今後の株価を占う上で非常に重要な指標になるはずです。

ということで株式投資が売り手と買い手による取引であることがわかれば「出来高」の概念は株価を追う上で絶対的に必要不可欠となるわけです。

ところが日本の株式投資では、一部の投資家を除いては出来高を無視してきたのです。チャートの研究でも株価のパターンを認識するだけで、出来高の概念が含まれることはほとんどありませんでした。もちろん株式市場の周辺から流される銘柄情報にいたっては、出来高についての詳しい情報など一切ありません。たとえ株価の形が似ていても取引量すなわち買い手の量（資産や人数）が違えば、相場の結果が違ってくるのは当たり前のことです。

１０００円の株価が１００円上がったときに、出来高が１万株と１００万株のときでは決定的に意味が違うのです。投資の判断に最低限必要な2つの情報の中の1つが欠落した状態で判断しているわけですから、その精度が低いのは当然のことになります。

高値圏の出来高が語りかけてくる

株価が売り手と買い手との値段交渉によって決まり、それぞれ「買い値が違う売り手」が損をしたり得をするということから、株式投資というのは、実はいかに上手く他の人を出し抜くかという投資家同士の闘いであることがわかってきました。激しい値段交渉の末に株価が決まり、売り手はその時点で損益が決定し、買い手はその時点から売り手となって、いつの日か損益を決する反対売買を行うわけです。

その意味で株を買ってそして売るのは、まさしく姿の見えない相手と相対で行う株価の値踏み競争に他なりません。であるならば、株を買うときには株価が安いか高いかをよく吟味し、またその取引の出来高がどのくらいあるかを確認しない株式投資は、資本主義的な行動とはほど遠い他人任せの、それこそいい加減な取引になってしまうわけです。

株式投資における買いは買い手の儲けようとする意思を表わすと書きました。ならば出来高は、その意思の総量とみなすことができるはずです。これはとても重要な考え方なので、とくにしっかりと理解していただきたいことなのです。

それでは株価と出来高の推移をみてみましょう。次頁の図表8をご覧下さい。

この図をみてもわかるように株価と出来高の関係は、株価は上がるほどに出来高が増え、株価の最高値と出来高の最大値は、ほぼ同日に現れるというセオリーがはっきりとわかります。

加えてこの図が明らかにしているのは、株価の上昇が加速するにつれ、そこから上昇スピードに飛びのって早く楽に儲けたいという投資家がいかに多いかということです。

株価は高くなるほどに売り手も増えます。5割、10割と上がるにつれ、これまでのどこかで安く買った人は利喰いにまわり、高く買った人もヤレヤレとトントン売り、長く持っていた人もこの辺が潮時と一斉に売りはじめます。もともと発行済株式数すべてが売りものになるわけですから、買い手にくらべ売りものは圧倒的に多いため、いくら買い手が多くてもいつかどこかで売り手の方が多くなる時がくるのです。それが天井といわれる高値です。

上昇スピードにつられワァッと押し寄せる買い手が増えている間は株価は上昇しますが、

図表8　株価と出来高の関係

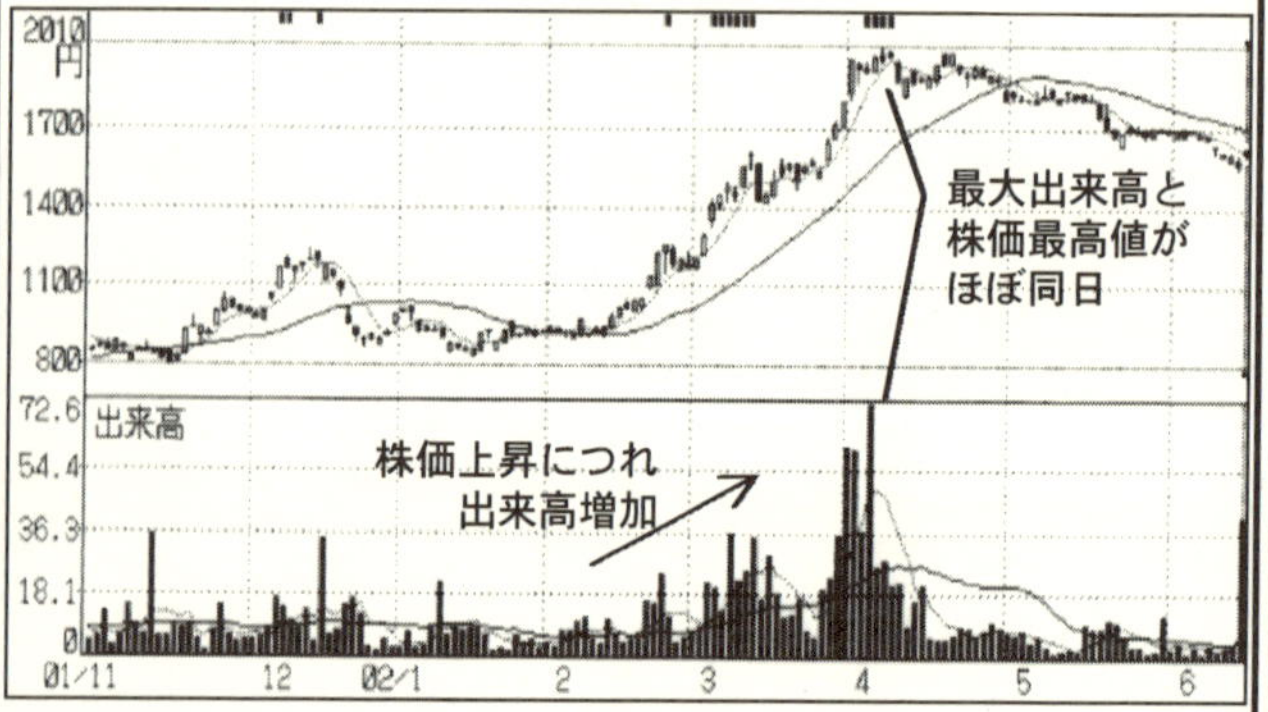

これは
もっとも株価が高いときがもっとも買う人が多いことを示している。儲けるためではなく、損をするために買っているのがよくわかる。

買い手の増加がそれ以上増えない極限に達したとき、株価の天井が訪れるのです。したがって、多くの場合は、株価の天井は最大出来高とほぼ同じ頃に現われるのです。それは同時に買い手の増加を凌ぐ大量の〝高値買いをしてしまった売り手〟が新しく生まれたポイントに他なりません。

本来の正しい株式投資では、高値圏の大出来高は「カラ売り」（株価が下がることで儲かる株式投資）のポイントであり、絶対に買ってはいけないところです。

しかし、売り物をこなすために買い手を集めている株式市場では、株価が上がるほどに、さらにもっと株価を上げるために買い手の大募集をはじめるのです。証券会社、業界紙、アナリスト、評論家を動員して「買いだ、早く買え、今が儲けのチャンスだ。こんなに株価が早く大きく上がっているぞ」と囃し立てていくのです。こうして楽にかんたんに儲けたい投資家が全国津々浦々から動員され、いつもの高値買いが行なわれることになります。

高値圏で大出来高ができたら絶対買わない、株価が急上昇しはじめたら手は出さない、この2つを守るだけで株式投資はもう中級になったといってよいでしょう。小学生でもわかるようなやってはいけないはずのことを、社会経験を積み、時には上司や経営者として人に指導・命令している人までもが、いとも簡単にしてしまうのが株式市場という巧妙なシステムであり、株式投資のこわさなのです。

底値圏の出来高が教えるチャンス

高値圏の大出来高は楽にかんたんに儲けようという多くの投資家が買うところであり、同時にここが売り時機とばかりに、いつかどこかで買った多くの投資家が売りを出してきて、その売りと買いがぶつかって株価の上昇にブレーキがかかり、同時にたった今買ったばかりの多くの投資家が売り手になって株価を下げる要因になるところ、と考えてよいでしょう。ただここでの買い手は高い値段を買いにくるのですから、当然、株式市場にとってはよいお客様であると同時に一般的には下手くそなヘボ投資家といえます。

彼らはこう考えます。「こんなに高くなってきたから安心だ、それにみんな買っているのだからいい株だ。今買えばうまくすると1~2週間、遅くても1~2ヶ月で大きく儲かるぞ」――そうです、高値圏の大出来高とは多勢のヘボ投資家の楽にうまく儲けたい意思の集合といえるのです。それがどんな結果になるのかは言うまでもありません。

それではもう一方の底値圏の大出来高について考えてみましょう。次頁の図表9をご覧下さい。A点の高値から急落した底値圏で、大きな出来高B点ができています。高値の時には大きな出来高がありますが、株価が下落する過程では出来高が急減し買い手が減り、少しの売りで下げています。おそらくは高値で買った人が投げ売りしているのだと思われますが、いずれにしても下げ幅が大きいほどに出来高は高値とは較べようがないほどに細っていきます。

つまり、底値圏とは積極的な買い手がほとんどなくなっている状態で、かつ直近で売るべき人は売ってしまい、時々の換金売りを買う人がいるくらいで株価も下がりにくくなった状態です。そんなところへ突然大きな出来高が出現しています。

この出来高には2つの可能性があります。1つは誰かが大量に売ったものを買った人がいる、もう1つは誰かが大量に買いはじめた、の2つです。

そしてもし第1の場合であれば売り手は非常に不利な状態にあり、なんとしても売りたいはずですから買い手のいうままの値段でかなり安く売らざるを得ないはずです。であれば株価は前日比でかなり安くなるはずです。

第2の場合は、売りものが少ないところへ買い手が強烈に買いはじめるので少なくとも株

図表9　底値圏の大出来高を基点に上昇する株価

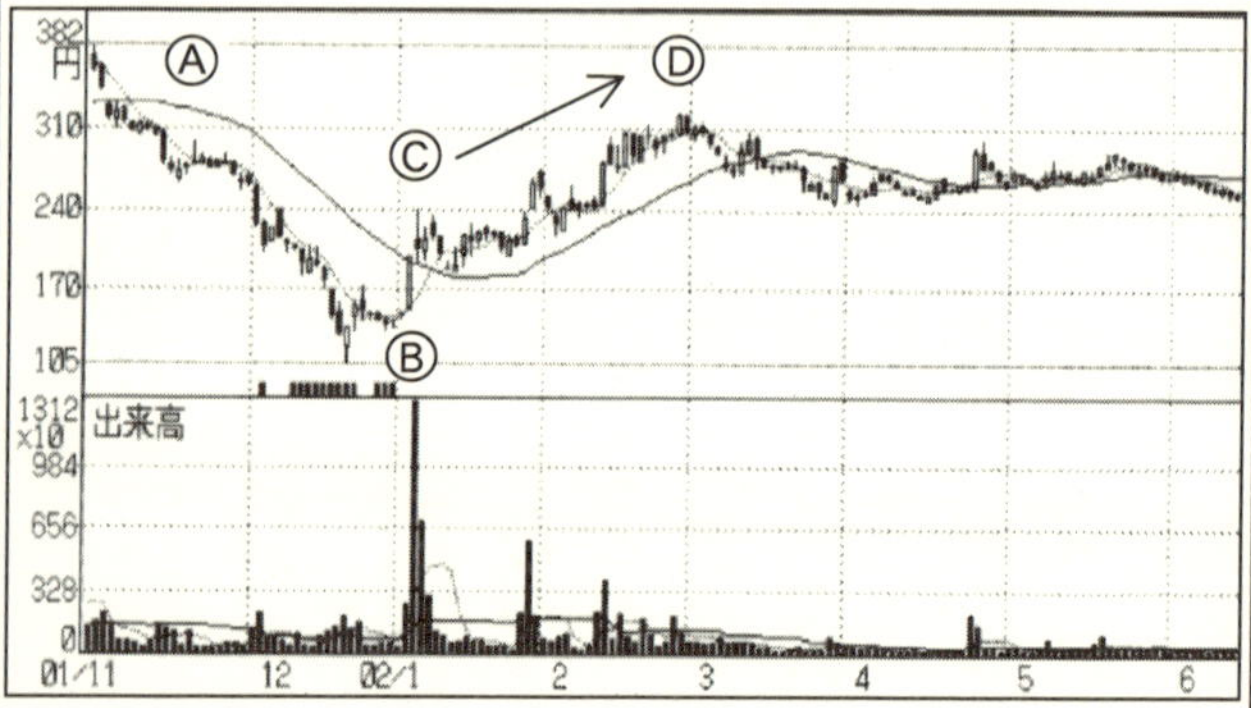

底値圏の大出来高がいかに重要な指標となるかがよくわかる。
この大出来高をどうトレーディングに活かすかが投資家の成果を大きく左右する。

価は上昇するはずで、前日より高い株価になるものです。

株式市場における売買では、誰が何株買ったかを公表されることはありません。したがって今、私たちは株価や出来高をもとに推理（予測）しているわけです。

再び図表9をご覧下さい。底値圏の大出来高を基点（Ⓒ）として株価が急速に上昇しています（Ⓓ）。

これは底値圏における買い出動ポイントを知るためのノウハウの一部ですが、このように株価に出来高を組み合わせることによって、買い手が何をしようとしているかを予測することができます。

株式投資で儲けるためには、安く買って高く売る必要があります。そのため誰かが投機的に大きく儲けようとする場合は、自ら大量に安く仕込んだ上で、株価が上昇したところを利喰わなければなりません。したがって、出来高を丹念に追っていれば、投機的に儲けようと仕掛ける人たちの動きを捉えることができるわけです。もちろんすべてがわかるわけではありませんが、闇雲に安いものを買うのではなく、戦略的に株価上昇の兆しを捉えて資金投入をしていけば、確率の高い株式投資ができるということをお見せしているのです。

このような場面では、この株のファンダメンタルズ（基礎的条件）は関係ありません。ただ何らかの理由によって、この銘柄を大量に買って儲けようとする資金投入があったということです。結果的にこんなに株価が落ちて安くなった後の買いであれば、うまく株価が上がってくれたらそれこそ大儲けできるのは当たり前であり、狙わない手はないのです。

株のトレーディングとはこんな銘柄を探そうとすることでもあるのです。狙いはいつも安く買い、高く売ることです。

したがって、株価と出来高とを注視しながら高くなった銘柄ではなく、安くなっていたものか、これから上がりそうというところを「ここはおもしろそうだ」と買えばよいのです。だからといって、そんなおもしろそうな銘柄がすべて勝つわけではなく、動きが悪ければ10%以内のロスカット（損切り）で逃げればよいのです。安くなったところで買えばもともと売られきった後のものが多いので、底割れリスクは意外と低いものです。

第4章

実践講座 その1

——売買術

3つの基本技術

株式投資には実践するにあたって絶対に必要な3つの技術があります。株のトレーディング教室の次なる重要課題です。

この3つの技術は難しい順にならべると、

① **相場観**
② **銘柄選択**
③ **売買術**

となります。

多くの投資家はこの3つの技術があることすら知らず、②の銘柄を探すことが株式投資と考えています。もちろん株式投資は銘柄を売買して儲けたり、損をしたりするわけですから、何を選ぶかは実に重要であることは間違いありません。しかし投資の成果はこの3つの要素をきちんと踏まえて売買することで達成されるのであり、どれひとつおろそかにしてもうまくいかないのが実際です。

多くの投資家にこの3つを提示すると、ほとんどは③の売買術がむずかしいと考えるものです。ところが投資家がむずかしいと思うものが実は一番やさしく、もっとも簡単にみえる①の相場観が一番むずかしいのです。

③の売買術がやさしいという理由は、すべて投資家自身が自分で決められるという点においてです。売買術の基本は資金をどう管理しながら投入していくかであり、資金防衛のために分散や損切り（ロスカット）をし、いかに上手く利喰うかなど、すべて自ら判断し、決定していくところにあります。したがって、自己の基準やルールを確立していけば自分の思い通りにコントロールできることになるからです。

それにひきかえ②の銘柄選択と③の相場観は相場という怪物との関係において相手任せにならざるを得ず、そのため私たちの意思は通じずコントロールもできません。

とくに、投資家の90％以上は株式投資は「いい銘柄」を探すことだと考えており、その意味で②が一番重要だと思っています。もちろんそれが正しい意味での銘柄選びならそれはそれでよいのですが、実際には銘柄選択自体がきわめていい加減で、かつ間違っているのです。

もちろん株で儲けるためには銘柄のどれかを買ったり売ったりしなければならないのです

が、その銘柄のブランド力、すなわち自分が知っているとか、社会的知名度とか、アナリストなど権威のあるようにみえる人たちのおすすめなどが重要視され、アテにならない先の成長性とやらで選んでいるのが実情です。そこには銘柄ごとの株価位置や出来高などから決める「いつ買い、いつ売る」という時間の概念が抜け落ちているのです。同時に自分のトレーディングのスタンスにあった銘柄毎の属性、すなわち発行済株式数においては大型株か小型株か、株価は高いか安いか、あるいは業績を買うのか、需給（買いと売りの力関係）を追うのかなど、さまざまな銘柄の選び方があるのです。

また、全体相場との関連において資金投入のレベルを決めていく③の相場観についてはお金の投入に関わるだけに決定的に重要ですが、それがむずかしいのです。なぜならそれは市場に参加している世界中のプロたちの動きの中からしか判断のしようがないからです。もちろん政治や景気、そして為替動向等を含めて、ありとあらゆる社会現象までがかかわった上で市場は動いているわけですから、それも含めて資金をどう投入するかを決定していくことになります。

株式投資とはこの3つの基本の実践に他ならず、この3つの技術を修得すれば立派な投資家になれるのです。それでは以下に、その3つの技術についてみていきましょう。

資金500万円を超えてから重要になる資金管理

ここからはトレーディング教室の中心課題である、自分で実践すべき3つの基本技術の中の一番やさしい売買術についてみていきましょう。

売買術は出動・利喰い・損切りを含めた資金の出入れに関わることであり、すべて自分の意思・決断といった自己管理の中に入るものですので、しっかり覚えると、トレーディングにとってこれ以上はない強力な武器になります。

資金500万円を越えるころからは、投資家にとって資金管理は必要不可欠なものとなります。それは大きな負けを防ぐ最高の防止策であり、いかなる事態がおきても私たち投資家自身の金を守ってくれるものです。

金融界すなわち証券界や銀行というものは金のある投資家には寄り添い、反対に金を喪くした投資家には冷淡になるものですが、それはそれは見事なものです。さんざんすすめて買わせたくせに投資家が文句をいっても他人事、信用取引失敗での追証・支払いなどは当然に脅迫めいてさえくるものです。

株式投資においてはとくに５００万円未満では資金管理の効果が薄れます。本来の資金量の配分や正規の分散をすると、１銘柄当たりの投入量が少なすぎて妙味もなく、どうしても２〜３銘柄への集中投資となってしまうためです。

少なくとも５００万円以上の資金になったときに、はじめて本来の株式投資における資金管理ができるようになるといえます。

株式投資は、一度注文して成約したら、あれはなかったことにしてくれとはいえません。反対売買しない限り、金は戻ってこないのです。そして結果は相場任せになり、私たちには続けるかやめるかの決断しかできません。

しかし、お金の投入法と投入量は事前に自分でコントロールできるもので、株式投資において唯一、自分の思い通りになる大切な防衛策が資金管理であることをしっかり覚えてください。

まず資金管理よりはじめよ

今、あなたが退職金を元手に資本金３０００万円で雑貨屋さんをはじめたと仮定します。会社登記や税務手続などを終え、いよいよ商品の仕入れを行いスタートです。

商品は仕入れたいものがたくさんあり、仕入れ先からはあれを買え、これも買えと強いおすすめがあります。

はじめて商売をするあなたはどう仕入れ、店を運営していきますか。すべてはあなたの意思と決断で決めねばなりません。


実はこの質問は、株式投資における売買術としての資金管理をわかりやすく説明するためのもので、文中のあなたが投資家に、資本金は株を買うための資金、商品を株と考え、仕入れ先を証券会社と考えて下さい。

いくら商売の経験のないあなたでも、スタートと同時に資本金3000万円全部を一挙に投入し、売れるかどうかわからないいくつかの商品をまとめ買いしたりはしないでしょう。

まず資金の3分の1とか2分の1までを限度とし、一商品当たりの仕入れ数も一度にたくさんではなく適当に少しずつ買って売れ行きのよいものを増やしていき、売れないものは減らすか処分して、できるだけ売れ筋の商品ばかりにしようとするはずです。そのためには毎日あるいは毎週か、少なくとも月に1回は仕入れの商品の売れ具合のチェックをすることになります。やがて商品の売れ行きも順調となり、経営に自信が持てるようになったときに、はじめて投入資金も増やし業容の拡大を図るようになります。それでも資本金すべては使わず、何かあった時に備えて運転資金は現金で残すのが常識です。

さらに景気が悪くなり売れ行きが落ちてくることがあれば、仕入れを抑えて、じっくり回復を待つことになります。すべては商品の売れ行き状況に合わせて経営は拡大したり縮小したりすることになるのです。

ここで忘れてはならないのは、商売においての仕入れの基本は商品を持つことにあるのではなく、安く仕入れて高く売り、その差額を利益として再び仕入れて売っていくというように、資本（資金）が回転することによって拡大再生産し、資本が蓄積されていくことにあり

図表10　株は商品仕入れと同じ

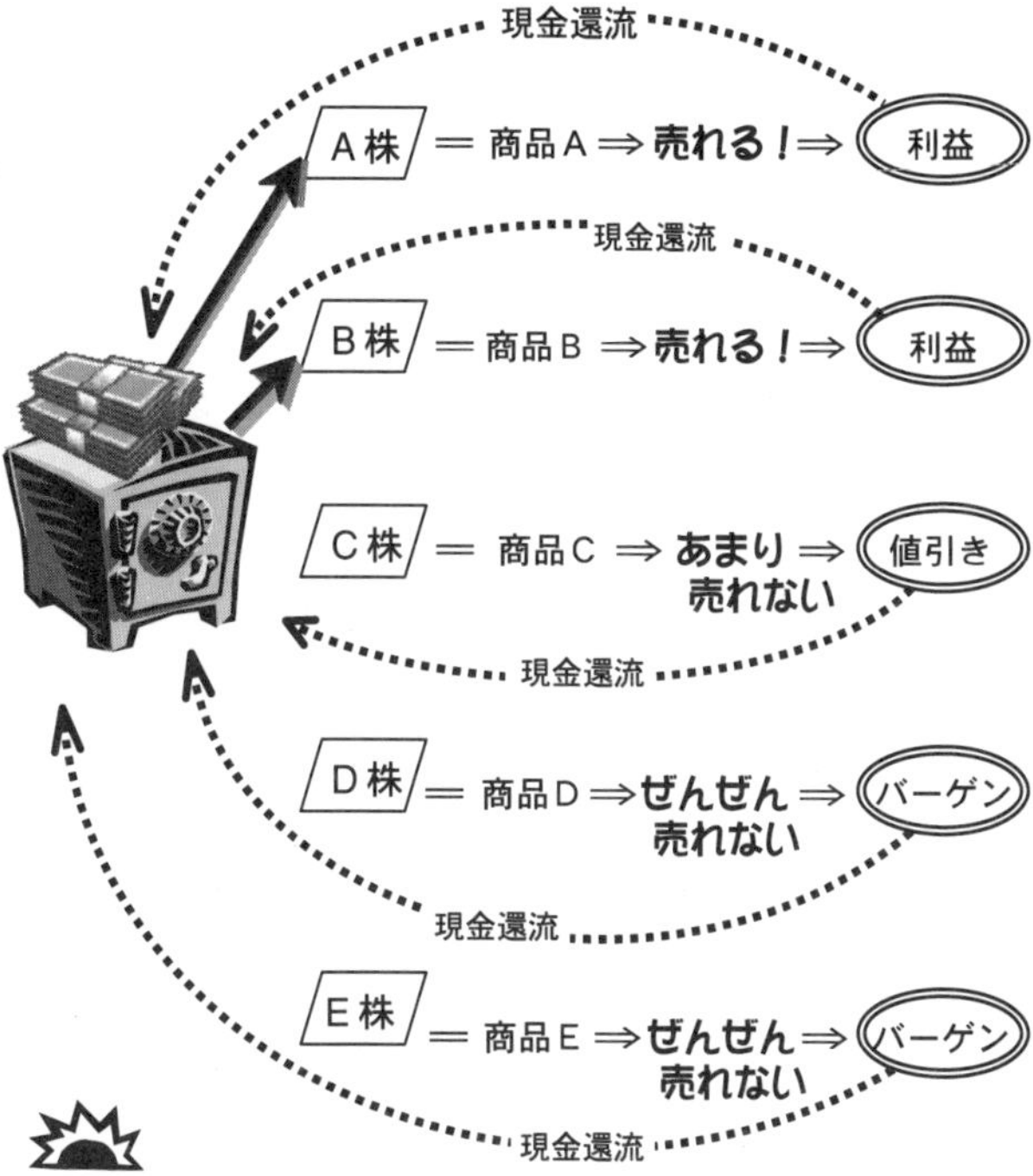

株式投資は商品仕入れと同じ。
売れても売れなくても現金化して元に戻す。
つねに収支をはっきりさせておく。

株式投資は経営と同じ！

ます。このプロセスにおいて一番こわいのは資本の回転をとめるデッドストック、すなわち死在庫となります。

仕入れた商品がほとんどデッドストック化し、資本金がなくなれば経営が破綻するのと同様に、株式投資においては買った株が含み損を抱えても売らず、次々と買った株が塩漬けになって現金資金がなくなれば、それは株式投資上の破綻といえます。

なぜならそこには儲けるという可能性はなくなり、ただ相場の上昇を待ち続けるネガティヴ（否定的）な状況があるだけです。株の買い方も投入資金量を調整しながらデッドストック（塩漬け含み損株）に注意し、損を生む可能性の強いものは損切りロスカットし、別の儲かる可能性のあるものへと資金シフトする必要があるのです。

あなたを守る資金管理の定石

図表11は資金管理の定石を表わす表です。

この表でしっかり理解すべきことは資金管理の基本は、先ほどの事例で述べたように資金

図表 11　理想的な資金配分

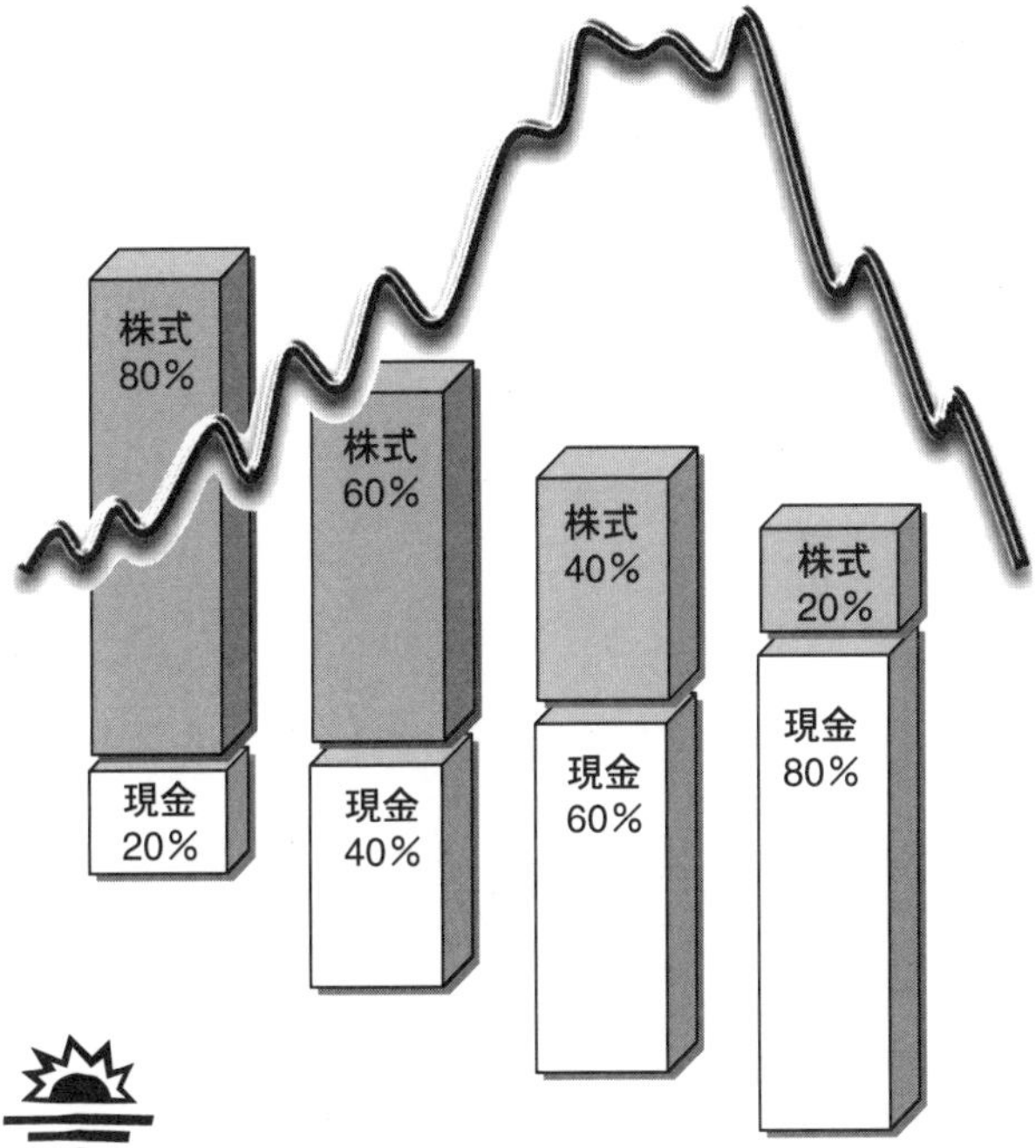

資金の 100％投入は厳禁です。
買いは最大でも総資金の 80％を原則とし、相場全体の流れからいえば早い時期にこそ配分は多く、相場が高まり熱してくるほどに資金は少なくします。もちろん信用取引によるレバレッジ（テコの原理）は論外です。

が固定化されず、つねに現金ポジションへと回帰していくところにあります。つまり株を買っても状況に応じて利喰いや損切りされ、資金は現金化され次の機会を待つということなのです。

株式への資金投入が20%というのは、株価が天井を迎えて下がりはじめたときです。つまり全体相場の天井圏においては利喰いの後の資金は現金ポジションとし、新規投入を抑制することで現金ポジションを増やしていくのが原則で、カラ売り（下げで儲ける株式投資）をする人は相場が過熱し、天井を迎えた銘柄へと仕掛けることになります。そして大きく下げてカラ売りが利益を挙げはじめるころには再び買い出動し、それが儲かりはじめたら資金量を40%、50%と増やしていきます。もちろん途中でマイナスが増えてきたら現金に戻すのが原則ですが、プラス銘柄が増えてくるまでの資金量はおよそ50%を限度とするのが目安となります。

自分の手持ち株のほとんどがプラスになってこない限り60%以上の資金投入はせず、どんなに順調でも80%までを限度とします。この資金管理は天井圏に入るほど慎重になるべきもので、大負け防止には欠かすことのできないものです。

先ほどのAさんのように勝つほどに資金が拡大し、信用取引で2倍、3倍のレバレッジ（テコの原理）をかけるのとは正反対の方法といえます。

そしてこの資金投入量の判断は必ず自分の手持ち株のプラスとマイナスで判断し、天井圏と思っても新規に買ったものが伸びているなら、誰がなんといおうとどんどん買えばいいし、それが止まれば次の利喰いの後は新たな買いはやめて現金にしておけばよいのです。

株価の伸びが悪くなればなるほど、現金ポジションが増えることになります。そうすれば証券会社に乗せられて買いすぎたり、株価の暴落がおきても大きなダメージにならないのです。

ところが投資家は、この資金管理の定石と正反対の行動をとるケースが多く、それが失敗につながっているわけです。

たとえば負けると損をとりもどそうと株価の下がっている株をナンピン（安くなったところを買い、買い値平均を下げる手法）したり、負けをそのまま放置しておいて別の株を買ったりするのです。実はナンピンはトレーディングにおいては資金の固定化と集中という2つの面で最悪の手法なのです。

そして気がついたら資金一杯買っており、そのほとんどが損失をかかえた塩漬け株というのが負ける投資家のおきまりの株式投資です。小さな損失を放置するから大きな損失になるのであり、それは資金管理の根本が間違っていることを意味します。

先ほどあなたが商売をはじめるときの例で申し上げたように、経営はリスクを伴うもので慎重に、かつ大胆に資金を使いながら長く継続していく必要があります。資金管理とはその意味でリスクマネジメントであり、すべての資本主義的行動の基本となります。

最後になりますが、この資金管理の習熟とは特定の銘柄への思い入れを排除することも意味しており、〝いい株〟とは株価が上がっていくもの、どんなに優良株といわれても下がる株は悪いものと考えることを義務づけることになります。

資金管理の大前提「株は持つな」

「株は中長期投資だ！　今株価は下がっても、いい株さえ持っていればいつか上がる」というのは、株式市場から金を引き出さないための発行サイド（国・産業界・証券界）のレトリック（自分たちに都合のよい論理）です。投資家に株を買わせ、持たせろ、そして反省させるな、これが株式市場における発行サイドの合言葉です。

株価が下がってくると、しきりに政府や自民党などでも個人投資家に株を買ってもらえるよう働きかけます。いつもは損をしようが放ったらかしですが、株式市場に危機感が出てくるとなんとか個人の金を、と考えるのです。しかし残念ながら発行サイドがそうした思惑をもとに投資家優遇、優遇といいながら、雀の涙ほどの税制優遇策をちらつかせても、おいそれと飛びつく投資家はいなくなりました。いくらお人よしの日本の投資家にも学習効果はあるのです。

譲渡益課税の全廃といったようなリスクマネーに対する本格的な優遇策をしなければ、慎重で保守的で預金好きな日本の個人投資家の金は、株式市場にはあまり入ってこないでしょう。それとも郵貯に金を集めたい人たちが、わざと株式市場の振興策をとらせないのか、その辺りのことはわかりませんが、そろそろ日本の株式市場も個人から金をとることだけを考えるのではなく、お互い共存共栄そして株式市場の発展の道を考えるべきではないでしょうか。個人をあまり馬鹿にしないでもらいたいものです。

繰り返しになりますが、株式市場の本質は個人の金を市場に滞溜させ、それを産業界が使うことで資本主義を発展させることにあります。したがって投資家が買った金をすぐ引き出させまいとするのが、発行サイドの基本スタンスになります。つまり「株を持たせる」ことが仕事になるわけです。発行サイドでは額面近くで買った株が何千円にもなり大儲けをすることがありますが、一般の個人にはそんなチャンスは100に1つもありません。

むしろガンガンに高くなっている株を個人に買ってもらい、ずっと持ってもらうことを願うのが株式市場の本質なのです。そんな中で株の研究や勉強をしようと思っても、すべて発行サイドがつくったもので、株は持つもの、中長期投資こそが株の基本とされているため、投資家は株は持つものだと思ってしまうのです。

しかし、もしあなたが賢明な投資家になろうと思うのであれば、バフェット氏が行っているような中長期投資以外では株は持たないことを原則にすべきです。

株価はとんでもなく乱高下するものです。株を持つことはその乱高下に捲き込まれるということです。株は持たず、株価が上がっている間だけついていき、上がらない株からはできるだけ早く降りる――それが資金管理の大前提となります。

いつも現金ポジションが基本

私たちは将来、いや明日すらわからないものに資金を投入するのです。どうなるかわからないものを買って、その見返りに大切なお金を渡してしまうのです。一般の株式投資では、資金目一杯まで株をもつ人がほとんど。買ったら売らずに次々と増やして、自分は分散投資をしているというのです。

先ほどのAさんの失敗例もこれに近い形で、さらに保有株を担保に信用取引で過剰に株をもたされるのです。これこそ株の失敗の最大要因であり、まさに発行サイドの思惑にすっかりはまってしまっています。

資金管理の面からみると、これほどおそろしいことはありません。まさに薄氷の上を株をギッシリつめこんだトラックが全速力で走っているような光景です。

私は、こう助言しています。

「株を買うというのは株を持つことではありません。上がりそうな株にお金を預けていると

思いなさい。うまく上がるなら上がっている間、上がらなければすぐに返してもらいなさい。どうなるかわからないもの、下がりはじめたものからはできるだけ早く退いて、うまくいっているものだけ残すのです。原則は現金で持つことです。いいですか、現金ポジションにしておけばいつでもチャンスに買えます。それが本物のチャンスかどうかはすぐにわかるはずです。それが正しい株式投資です」

こうすれば私たちのお金は利用され尽くすことなく、私たちの都合、すなわち私たちの腕次第で株価の変動を利益の根源にできるのです。

分散の投資術

分散とはリスク管理であると同時に、動きの悪いものをカットして良いものへと資金をシフトする攻撃のための手段でもあるのです。

先ほど、どの商品が売れるかどうかわからないときは、取り敢えずいくつかの商品を少数ずつ仕入れてみて、その中から売れるものを買い増していくと述べました。

分散とはまさにそのことであり複数銘柄に分けて買い、それも１つの銘柄への資金投入も一度にではなく２分の１か３分の１として、動きの悪いものはカットして良いものだけを残し、買い増していくのです。それが分散から集中というトレーディングの定石です。

つまり分散とは儲けることを前提とせず、株価が上がるものが少ない、つまり損をすることを前提にしているわけです。ただし、株式はその不確実性ゆえに、うまくいけば２倍、３倍にもなるわけですから、少数の値上がり株が出れば、ロスカットが半分以上あっても充分プラスになるのです。

もちろんこの分散は前項の資金管理で、その時々での総資金量の中での配分が行われるわけですから、絶対に資金がたれ流されて拡大することはありません。

次頁の図表12は退職金などを投入するときの、かなり慎重に売買を行う場合のモデルです。

Ⅰ　Ⓐ～Ⓗに対してはまず一銘柄投入予定の２分の１の１００万円が投入されました。

Ⅱ　ⒶⒺⒼがうまくいき、残りの１００万が追加され順調に株価は上昇しています。しかし、ⒷⒸⒹⒻⒽは動きが悪くカットされました。

全体としてまあまあですが、ⒷⒸ分はすぐに新しい銘柄を仕込みましたが、ⒹⒻⒽ分

図表 12　資金管理における分散～集中の事例

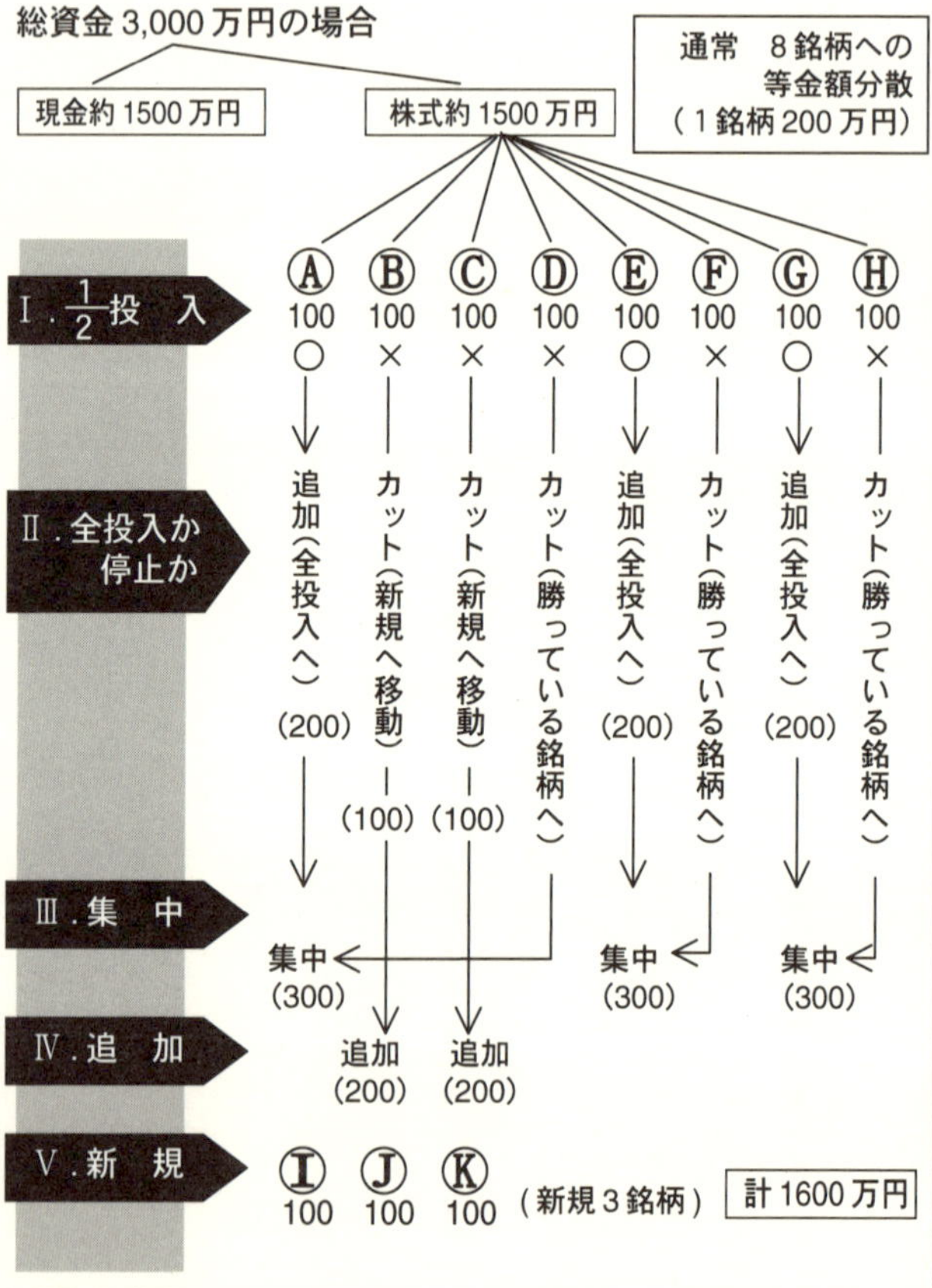

は現金のまま様子見をしています。

Ⅲ　順調なⒶⒺⒼがうまく伸びており、ⒹⒻⒽで現金化された資金を1銘柄200万円だった予定をかえて300万円にし、集中することにしました。

このⅠ～Ⅲのプロセスでは銘柄は5銘柄となっています。そしてⅣの段階では新たに買ったⒷとⒸも伸びてきているので資金を追加し予定の200万円となります。そして全体がプラスになってきているので、Ⅴの段階で新規を3銘柄追加します。そこで再び合計1600万円の投入となり、資金は依然として前と同じく全資金の半分ですが、手の内は勝っているものばかりが残っています。

以上のようにカットが多いときは総資金は減らし気味にし、カットしたものから強いものへ追加し、やがてプラスが拡大してきたら資金総量を増やせばよいのです。

これはトレーディングの原則論を書いており、これほど厳密にはできないにしても、考え方はきちんと修得しなければなりません。なお強いものへの追加投入とは20％以上買い値より上がった株の押し目を買うというのが定石であり、そうすれば後から追加して買ったものが、10％下がったときにすべてカットしても利益は消えますが損はありません。

それは一見ムダなように感じるかもしれませんが、大きく儲けるための捨て石のようなものと考えてください。株式投資は小さい勝ちを求めるのではなく4割、5割は当然、うまくいけば2倍、3倍を狙うという点を考えれば、リスクをとり、かつ大負けを避けるためにはこうしたダイナミックな分散がどうしても必要となるのです。

それはまさに前項で述べた、会社や商店の経営そのものといえることがよくおわかりいただけると思います。

ロスカットの原則

大きな損失を防ぐため、含み損を抱えて身動きのとれなくなる塩漬け株（デッドストック）を持たないようにする唯一の方策は損切り（ロスカット）です。過去の相場の定石は、このラインを10％としています。

ここで図表12をもう一度みて下さい。

AとBに資金を2分し、一方を現金にしてあります。この余裕を持った資金運営が大きな意味を持ってきます。

今、冷静な時に損切りロスカットを提案すればあなたは「当然だ」と思うでしょう。しかし投資家はいざ現実に損失が発生するとひるみ、様子見をしてしまいます。

それは株価の不確実性がひょっとして明日は上がるかもしれないという期待を持たせ、1日だけ、1週間だけ、1ヶ月だけと決断を遅らせるのです。ときにはそれは功を奏すことがありますが、裏目に出たときには大損失を抱えた真性の塩漬け株となってしまいます。

そうした人間であるが故の投資家の弱さは私自身にもあり、あなたにもあり、現実は10％のロスカットをほとんどの人はしないし、否できないことが多いのです。そこで資金量に占める投入資金のレベルを調節することで、ロスカットをしやすくしようというのが資金管理による分散なのです。

先ほどの事例でいえば3千万円を用意した投資家にとって、5つのロスカットが発生していますが、100万円ずつの投入なら、平均して10％ロスカットとして損失は50万円です。他の3銘柄はプラスを生んでいるのですから、それほど大きな金額にはなりません。それこそリスク代程度に考えられます。

ロスカットは絶対に必要なのですが、現実にはロスカットはしづらいものです。そこでロスカットをしやすくするためには、トータルの半分くらいの現金ポジションを用意し余裕をつくっておく必要があるのです。

ロスカットについては、中にはえらく慎重で消極的な手段だという人もいますがそれは間違いです。ロスカットは、ダメなものはやめてその資金を新たな可能性や現実に伸びているものへとシフトさせる、きわめてダイナミックで攻撃的な手段なのです。

むしろ負けているのに様子を見、未練たらしく毎日戻りを待つことの方が弱気で消極的な行動といえます。

株式市場は危険なところです。しかしその危険性の裏返しに、大きな利益があるのです。そこは強いものが勝つ弱肉強食の世界であり、銘柄も株価が上がる強いものと上がらないもしくは下落する弱いものとに分かれます。強いものについていくしか勝つ方法はありません。弱いものにすがりついていては、尻の毛まで抜かれて捨てられるのがオチです。

その意味でロスカットは守りではなく、弱い者から離れ強いものにつく積極的で攻撃的な手段といえ、そのためにも資金管理を大切にし、ロスカットを有効に使えるようなマネジメントをしていただきたいのです。

なおロスカットはザラバであっても一度でも▲10%を超えた段階で次の寄付き、もしくは翌日に処分するのが原則で、できない人は少し戻ったところかトントンになったら実行するように心掛けて下さい。

計算は、

買い値×0・9＝ロスカット値

となります。

最後に、あなたを守るロスカットをあなたに強要する人は誰もいません。すべてはあなた自身の問題となります。そして秀れた相場の達人たちは、これを守ったことにより生き残ったという事実をしっかり覚えておいて下さい。

株式投資は資金量やその性格、あるいは所得のあるなしによって資金管理法や銘柄の選択が異なります。そのことをよく踏まえて、自分なりの戦略を立てることが肝要です。

また所得のない人にとって大きな損失はその後に致命的な打撃を与えるわけですから、さらに慎重な資金運営が求められ、所得が多い人はより大きなリスクをとることができます。しかし、いずれにしろ株式投資は金をとるか、とられるかの闘いであることをしっかりと認識して実践して下さい。

これまで多くの投資家のほとんどが大きくやられ、多大な損失を被ってきた理由の多くがここにあることがおわかりいただけたことと思います。

株で儲けるためにはただ買うのではなく、できるだけ安く仕込みながら、高くなったら売って換金して実現益を手に入れ、そうでなければ速やかに処分して次のものを買いながら資金を回転させていくのです。

売買術を覚えて「買い間違い」と危険をなくそう

売買術を知らないために投資家は多くの過ちを犯します。そのひとつに様子見の高値買いがあります。

ふつうの投資家には余裕があります。いつ買うかは自分の裁量であり、株価や株数の選択はすべて自分の思い通りにできるからです。気に入らなければやめればいいのですから。そうして投資家はチャンスを待っています。

一般的に投資家は目星をつけた銘柄をすぐには買いません。それはいつでも買える選択権が投資家の側にあり、すぐ買う必要に迫られないため、その銘柄が自分の思った通りになるかどうかと様子見をするためです。しかし目星をつけることの多くが、すでに株価がかなり高くなっていることに多くの投資家は気がついていません。

さてこの〝いつでも買える〟ということが、投機的商品として株をみたときの最大特徴になります。宝くじや競馬などの投機的商品は、はじまりのときか終わりのときがあらかじめ決められており、私たちの意思とは関係なく始めさせられたり終らされるものです。この時間をどう使おうと自由な点が株式投資を大変むずかしくさせているのですが、とにかく投資家は自分の狙った銘柄の株価の推移をじっくり眺めるものなのです。

ここでおもしろい現象がおきます。様子見の上で株価が下がると「ああ買わなくてよかった、これはきっとダメな株だ」と思うのです。ところが株価が上がりはじめると、途端にこの銘柄への興味関心は倍増します。「やっぱり私がニラんだとおり上がりはじめた、これはチャンスだ、もう少し様子をみてから買おう」と。やがて株価上昇が加速しはじめると「よし間違いない、これは買いだ。早く買わなくては」と焦りはじめるのです。こうして株価の最高値と出来高の最大値（もっとも買う人が多い）は、ほぼ同日に現われるという高値買いのセオリーが成立することになるのです。

買い手にとって、いつ買ってもいいという選択権を与えられていることが買いの決断を鈍らせ、むしろ様子を見ることによって、株価が高くなることが買いの条件になるような錯覚を誘発することになっています。安く買って高く売ることが最重要課題である株式投資において、全く相反する事態がおきているのです。ここでは天井圏で買いが殺到する状況を説明したのですが、株価の高い安いの基準をもたない銘柄主義では、買い手は自分がチャンスと考えたときに買います。1日の中でも高い安いがあり、それが毎日毎日つながっているわけで、そのすべての買い手がみんな自分の選択が一番と思うことは、逆説的にいえば1人だけが正しいか、もしくはみんな間違っていることになります。

投資家が自分のカンや感覚でここがチャンスと考えること自体が、実にいい加減でアテにならないのです。しかし、投資家は自分を信じ銘柄も信じているため、確率的には95%といわれる「間違った買い」をすることになります。

このように株式市場では毎日のように「間違った買い」が行われ、その結果、時期や値段が異なる売り手が毎日製造されており、数もマチマチで高く買った売り手ほど多くなっているのがふつうです。

正しい銘柄選択や売買術を知らず、銘柄の株価に高い安いという基準を持たない投資家は、まさに危険が一杯、自ら損失を招くような株式投資をしているわけです。株を買う前に、これはいい銘柄だ、絶対儲かるとばかりに資金を集中する投資家にかぎって、きちんとチャートを見ないものです。私はここでチャートの勉強をしろといっているのではなく、少なくとも今自分が買おうとしている銘柄のここ半年ぐらいの株価推移をみて、今が高いか安いぐらいは知っておくべきだといっているのです。

次に売買術をしっかり覚えて安い値段で仕込むことが、いかにその後に大きな影響を与えるかについて実際の売買の中でおきる現象からみてみましょう。

すべての買い手は即座に売り手に転じます。一度株を買ったが最後、投資家は売り手となって相場と対峙しなければなりません。誰でもが遭遇する売り手となった投資家の心の動きを追ってみましょう。

次頁の図表13をご覧下さい。買い位置の違う二人の投資家を比較することで、よりわかりやすくしようと思います。

Ⓐ点で買った投資家はうまくいきました。買ってからほとんど下がることなくⒸ点を迎えました。買ってからはじめての調整でⒹ点まで株価は下がりましたが、買い値からは40%も上にあり、余裕があります。安く買った強味はこのⒸからⒹ点のような上昇途中によくおきる、いわゆる篩（ふるい）にも耐えられ、その先の大きな上昇を手にできる可能性があります。いわゆる強い投資家になれるのです。

図表13　安値で買わないと儲けられない

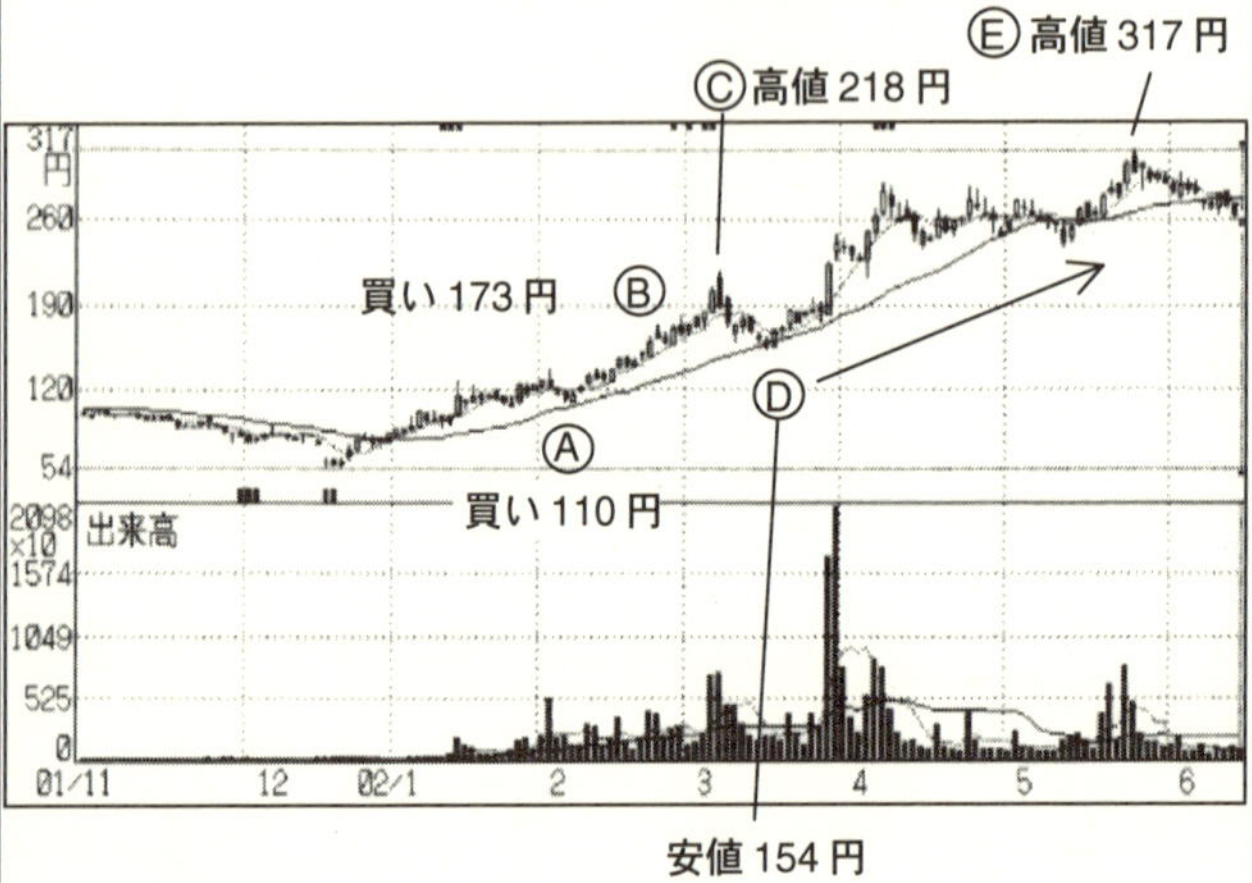

安値で買えば、途中の篩（ふるい）に耐えて持続でき、大勝ちも可能に。

株式投資においては株価が買い値より1円でも高ければ強気になれますが、逆に1円でも安くなると急速に不安が高まるもので、投資家の心は一気に弱気に傾きます。この買い値を境にした投資家の心理の変化は経験しないとわかりませんが、誰にでも共通することです。

さて、Ⓐ点よりかなり高いⒷ点で買った投資家は上昇が加速する株価に飛び乗ったわけですが、うまくいったかなと思ったのも束の間、株価は下がりはじめます。株式市場においては株価はいずれ大きく上昇するにも、途中にも大きな株価の振れが何回もあるのです。

はじめは単なる上昇途中のちょっとした押し目ぐらいに思っていますが、10%も下がるともう不安です。日々の株価が気になり、ソワソワしはじめるのです。こうしてⒷ点以上の投資家の多くはここで篩（ふるい）にかけられ損切りとなります。しかしここで踏ん張る投資家も結構多く、このケースの場合はⒹ点から再び株価が上昇し、Ⓒ点を抜いて上昇しているので幸運にもマイナスから再びプラスに転じますが、もしⒹ点で株価が止まらなければⒷ点以上の買い手はさらに大きなマイナスになるわけです。

その場合、図でわかるようにⒶ点にくらべⒷ点は出来高が増えており、ここで買った人が多いのは一目瞭然です。これは損失に怯える弱い売り手で、ショック安でもあれば叩き売りしやすい状態です。

こうして株価が高いところで買った投資家はアッという間に損失が拡大し、あわてて損切りすることになり、次の株価の上昇Ⓔをとれずに終ることになるのです。一方、安く仕込んだ人は途中で多少のブレがあっても利益は確定しているので、踏んばって株価の大きな上昇を一杯手に入れることができるのです。

できるだけ安く買うことが名実ともに強い投資家になれる要であることがおわかりいただけたことと思います。いい銘柄を買うのではなく、いかに安く買うかが大切なのです。

第5章
実践講座 その2
――戦略的銘柄選択

あなたはどっち？　二者択一の選択

正しい銘柄選択とは、単に何かいい銘柄はないかという単純なものではなく、株式投資のスタイルとあわせて「どのような基準のもとで」「いつ買うか」という、きわめて戦略的なものです。

まず図表14をご覧下さい。これは週足（しゅうあし）チャートといって1週間毎、つまり5日間合計の上げ下げの株価の動きをつなぎ合わせてつくられています。この週足チャートというのは中長期投資の基本としてあるもので、毎日の株価の激しい動きが1週間合計されるため、あるときは平旦化され、あるときは先鋭化されることになります。

次にこの週足チャートの部分を拡大したのがマル枠の中のⒷです。これは日足（ひあし）チャートといって毎日の株価の動きをつなぎ合わせたものです。

この2つのチャートをみると株価は日々乱高下を繰り返しながら、結局、大きな流れとしてゆっくりと上昇したり下降したりしているのがよくわかります。ここで実に重要な問題が

図表14　1週間毎の週足チャートと1日毎の日足チャート

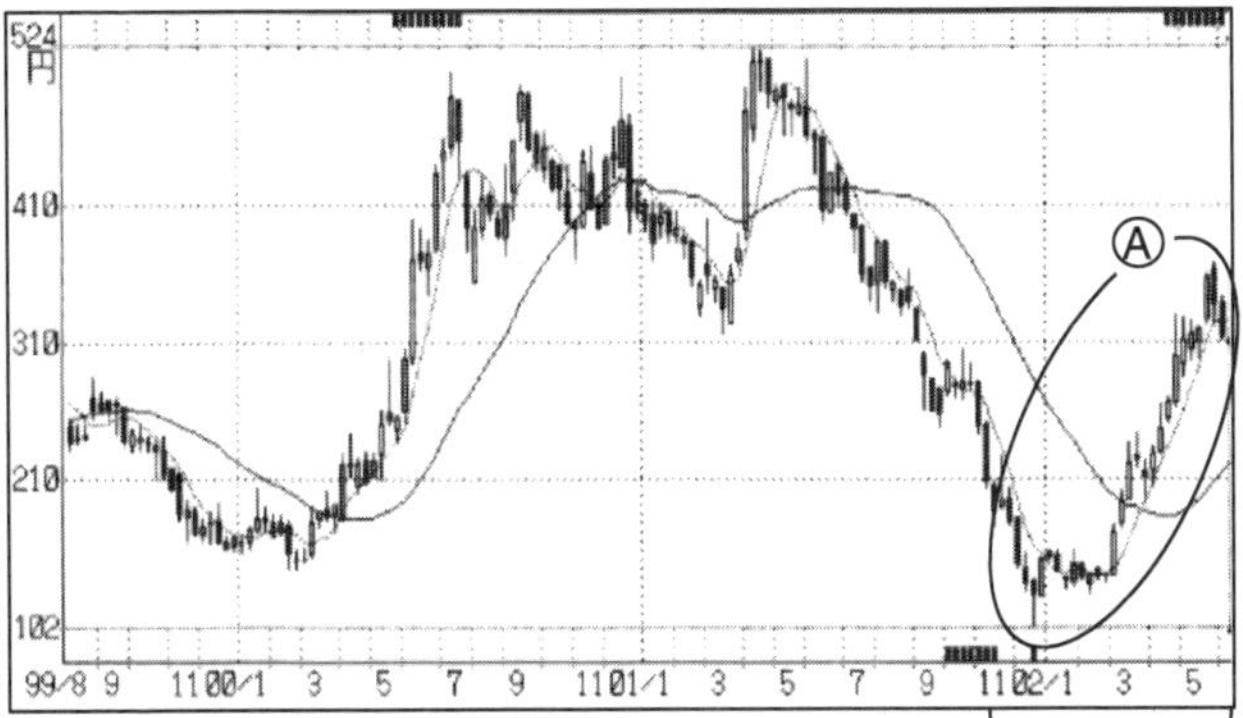

1週間毎のチャートのⒶの部分を拡大すると
1日毎のチャートⒷになる

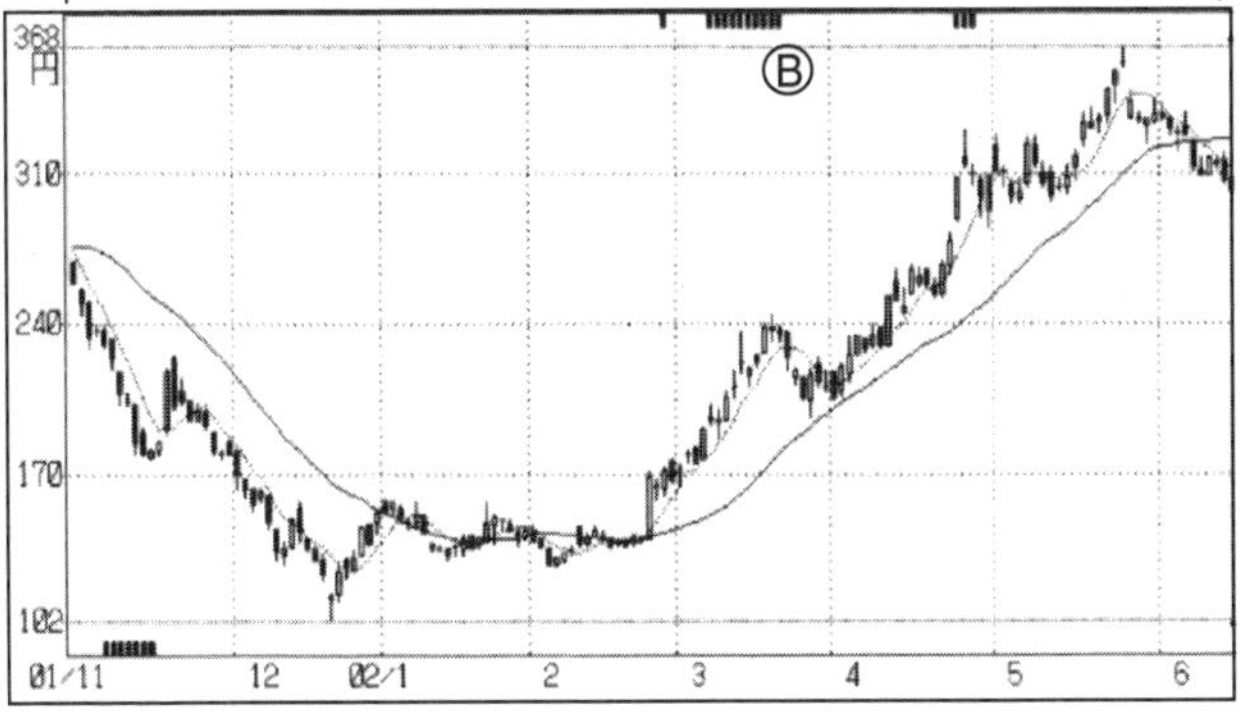

提起されてきます。それは私たちが株式投資をする上で、どのような株価の動きを狙うかという戦略性の問題です。つまり、どんなやり方でも、安く買って高く売れば儲かるわけですが、短期でとるか中長期でとるのかの選択が必要になるのです。

Ⓐの週足の動きをもとにするような最低でも1～2年以上は株式を保有し、中長期の株価変動を手に入れようとするのか、もしくは比較的短期（ふつうは6ヶ月以内）の株価の上昇をとりにいくのかに分かれるのです。株式投資の世界では前者を中長期株式投資、後者をトレーディングと呼んでいます。

もちろんこれまでの話の中から証券界のお勧めは、平時は中長期保有型、少しでも利がのるとトレーディングに変身するものであることはいうまでもありません。

さて、もしあなたが図の銘柄を買おうとするとき週足の大きな傾向は下がっていますが、日足の毎日の動きは上昇に転じているとしたら、あなたはどうするかという問題が発生します。週足では下降トレンド、日足では上昇トレンドにあるということです。いかがですか。

このときの正しいジャッジは半年以内、できれば1～2ヶ月でやめる条件で買ってみるのは可ということになります。つまり、この銘柄は最初から中長期には適していないことになるわけです。

逆に日足ベースでは下がっていても、週足ベースでは上昇というときもあります。結局、買ったら売らない人にとってはゆっくり上がっていけばよいのですから、日々の動きは無視してよいということになるのです。

以上はきわめて単純化した考え方で説明しましたが、投資家にとって銘柄選択とはこうして銘柄ごとの株価の動きの中で今、何を買うかを決断するべきであり、銘柄毎に与えられたお勧め理由は単なる条件の1つに過ぎません。

もちろんここでの週足チャートも日足チャートも過去の株価の推移を示したものであり、これからを予測するものではありません。ただ確率的に言って、上げているものはさらに上がり、下げているものはさらに下がる可能性が高いというだけのことです。

とはいうものの私たちにとっては、明日から先の将来はなにもわからないわけですから、少しでも確率の高い株式投資をすることが必要であり、株式投資の研究とは、より確率を求めるものでなければならないわけです。

次に銘柄を選択する際には、もちろんいかなるときにもこれから株価が上がりそうな確率を見ていくのですが、現実の中ではその確率に伴う時間の長さやリスクの大きさが異なります。

なかでも大切なのは発行済株式数の大小と株価の高安による銘柄選別です。なぜならその2つは株価の変動率とリスクの大小に大きく関わってくるからです。

たとえば、最大の発行済株式数60億株超の新日鉄は株価が動くためには大きな取引（＝出来高）が必要となり、逆に発行済株式数が一億株未満のものは相対的に小さな取引で株価が大きく変動します。しかしトレーディング的にみると、新日鉄に2割も3割も株価変動が起きることは確率的にほとんどなく、1割も動いたら大勝利となります。

ところが1億株未満のものは1日で20～30％以上動くこともザラで、その変動率が大きな損益につながりやすくなります。

一方、株価は低位つまり、安い株ほど変動率が大きくなりやすくなります。なぜなら株価は1円刻みに動くので、100円なら1％ですが1000円なら0・1％になるからです。値嵩株は大きく動いて儲かるように見えますが、率にすると意外に小さいものです。1万円の株で50円（5％）動くのと100円の株で10円（10％）動くのとでは100円の方が率にして2倍も動いたことになるからです。もちろんそれは上にも下にもです。

その結果、大きな資金を動かす人ほど変動率の少ない方を選ぶ、つまりリスクの小さい方を選び資金の小さい人は変動率の高い、つまりハイリスク・ハイリターンを追うことになります。そしてもっともハイリスク・ハイリターンは小型の低位株となるわけです。トレーディングを目指す投資家はどちらかといえば、ハイリスク・ハイリターン型を目指すのが基本となります。だからこそ余計に資金管理やロスカットなどの売買術が求められることになるのです。

いずれにしても株価と発行済株式数の組み合わせはトレーディングを目指す人にとって大変重要な判断材料となります。

銘柄選択の方法は資金の性格や量、そして投資家自身の性格や考え方によって大きく異なりますが、実は投資家がこの明確な区分をしていないことに問題があるのです。

バフェット氏は証券会社の営業が大嫌い

米国の有名な中長期型投資家バフェット氏は証券会社が嫌いです。彼は証券界の用意したアナリストを信用しません。アナリストとは、その時々の市場のコンセンサス（合意）の中で、あれがいい、これがいいと流行を追う選択を勧めるものであり、それまでの結果の分析を声高に叫んでいるにすぎません。リスクに見合った将来の予測はしていないのです。

バフェット氏はこういいます。「証券会社の営業マンは市場からのメッセンジャーボーイにすぎない、ただ買わせるために銘柄を運んでくるだけだ」と。バフェット氏の銘柄選びは長期的視野にもとづいたこれからの企業探しであり、独自の分析を行い、自ら企業に足を運んだりしながら将来の大化け銘柄（株価が大きく上がる銘柄）を探します。

その方針の第1は徹底して安く買うことであり、他人が見向きもしないときにしっかりと少しずつ仕込んでいくのです。バフェット氏は決してあわてず急ぎません。自分の信念に基づいて誰の影響も受けず、自分の方針を貫き通しています。

バフェット氏の株式投資は本来のファンダメンタルズ投資といわれるもので、厳密な経済動向・企業分析などによって将来大きく値上がりしそうなものを選ぶのであり、きわめて極秘裏に選びます。彼は証券会社が嫌いですが、それ以上に証券会社から嫌がられている存在です。もし投資家がみなバフェット氏のマネをはじめたら、証券会社の営業は成り立たなくなるからです。

しかしバフェット氏のような株式投資は、経済や企業のファンダメンタルズ分析の中から誰もが予想しえない希少価値がどこにあるかの結論を導き出し、リスクをとった上の決断をし、実行するという困難を伴っており、余人が簡単に真似をできるものではありません。さらにそこには果敢な勇気と、たぐいまれな忍耐力が要求されるのです。

一般に投資家のスタンスは安易です。できるだけ楽に早く金を儲けたいのであり、みんながいいという多数決的評価に乗って早くうまくやりたいのです。

その代表がアナリストのいいなりに買う機関投資家という人たちであり、個人投資家の多くでもあるのです。もしあなたがバフェット流を目指すなら、孤独でさみしい道を選択する覚悟が必要となります。

証券会社のすすめるファンダメンタルズ投資のおそろしさ

先ほどから述べているように、証券会社は株式投資に投資家の金を引き込むための存在です。

彼らは、バフェット氏のような本当のファンダメンタルズ投資を投資家にすすめることはできません。なぜなら証券会社の役割は投資家に儲けさせるのではなく、多くの売りものを私たち投資家に買わせるところにあるからです。

バフェット氏は、たとえばあるとき日本の株式市場で自分が買いたい銘柄は一つしかない、といったことがあるほどきわめて厳密な選択をしています。そんなことを証券会社が多くの投資家にさせたら株式市場は成り立ちません。いかに多くの株をできるだけ多くの人に買ってもらうかが証券会社の目的であり、それを遂行するためにこうして銘柄選択のエキスパートとしてアナリストという存在をつくり〝買わせる理由〟づくりが行われるようになったのです。バフェット氏は安い株しか買いません。しかしアナリストや証券会社は高くなった株でも買わせるのが仕事です。

つまり先ほどの例でいえば、証券会社やアナリストは週足ベースの中長期投資だ、株を持て、といいながら日足ベースで上がっている株を買わせるわけです。

このとき週足ベースが上昇トレンドにあれば間違った高値買いも結果として株価回復となり、トントンであったり、うまくいって勝つことさえありますが、それはきわめてレアなケースであると考えるのが妥当です。

もうお分かりのように証券会社のお勧めは、全く異なる2つの戦略を組み合わせているのです。中長期投資とトレーディングが合体しているわけです。そこでは当然に証券会社にとって都合のよい論理が優先します。

買うときは将来性を考えてファンダメンタルズを軸にお勧め営業をし、うまく当たって１～２割も儲けがでると、すぐにも利喰い千人力とばかりに売らせて、今度はこっちを買いましょうと短期のトレーディングへ転換となります。ところが負けると「株式投資は中長期保有が原則です。いい株ですから戻りを待ちましょう」。損が確定するのを嫌がる投資家がほとんどですから、結局は高値買いの塩漬け株というデッドストック（死在庫）となります。するとこっちにいい銘柄があるから、そっちはそのままにしておいてこっちを買いましょう、と勧めます。

かくして投資家は中長期投資とトレーディングの間を往ったり来たりすることとなり、小さな損と大きな損失の組み合わせの中で次々と資金は塩漬け株に姿を変えていくことになります。

しかし、全体として証券会社の行動は株式市場にとって正しいことなのです。なぜなら私たちが安く買った株を高く売る相手を探してくれるのですから。

それじゃ銘柄はどう選べばいいんだ

証券会社のお勧めは買わせるための理由が一杯の銘柄ばかり、かといってバフェット氏流の中長期投資は無理、自分で選んだ安い株は高値覚えのものばかり、頭にきて急騰株に飛びのればそこは高値のド天井、あとは真逆さまに急降下ばかり、一体どうすりゃいいんだ、というのが投資家の銘柄選択です。

そうです、銘柄選択はそれはそれは大変でなければいけないのです。しかしそんなことをいったら誰も金を出しません。だからさも簡単そうにどれか選べばうまく儲かるように見せるのが、株式市場における証券会社の役割でもあるのです。その辺りのメカニズムは後に譲るとして、銘柄選択には大きく3つの方法があります。

① 遠い将来を見据えていい株を買い、時間を味方にして大きな値上がりを狙う。

② とりあえず今いい状態にある（業績が伸びている）ものに乗って、止まるまでついて

いく。

③　理由はともかく、需給（売りと買いの力関係）からみて株価が上がりそうなものを買う。

この3つを無理に定義づければ、所要時間をもとに①は長期投資、②は中期投資、③は短期投資となりますが、要は儲かればよいだけのことで、あまり明確に分けることは意味がありません。

大切なことは、この3つの投資はその特性が自ずと銘柄選択を大きな枠で絞り込むところにあります。それはまた先のことが全くわからない株式市場において、いかに株価の正の不確実性を取るかを論理的に詰める作業でもあるのです。

正しい銘柄選択の実践

(1) 売らない株式投資の銘柄選択

この銘柄選択はトレーディングとは少しはなれますが、比較的大きな資金でゆっくりした投資を行う人に向いています。株式投資で儲けるためには、安く買った株が高くならなければなりません。この場合に参考になるのは日足ではなく週足であり、週足ベースでみて安くなっていることが大切です。次に株価は上昇トレンドに入りたてのものがよいと決まっているわけですから、株価が週足ベースでみて下落し、下げ止まりから上昇に転じたところを狙うことになります。

このとき大切なことは、将来がわからないときは現在をどう利用するかしか確率を高める方法はないという点です。そこでまずしばらくは売らないという条件がある以上、1～2年あるいは3年、5年と時間をかけるので安全性（そう簡単には倒産などしない）の点で、日本の主力企業100社くらいの中から選ぶのが定石になります。資金を長時間市場に投入するには儲けることも大事ですが、損失も限定させる必要があるからです。

同時に資金を入れるときは、いつでも自由に逃げられるように流動性（いつでも換金できる）を大切にする意味でも東証一部銘柄を対象とする方が安全です。

次に将来を期待して買うためには、今の業績が悪いより良い方が儲かる確率が高くなります。したがって現在の業績が少なくとも悪くないものを選ぶ必要があります。

こうして長期的投資にあっては日本の主力株に位置する比較的大型の業績がよい銘柄を、週足ベースで下降から上昇に転じたところを狙う銘柄選択が、条件づけられることになります。

もうひとつこの売らない型の手法にBPS、つまり1株当たりの純資産方式があります。これは株価が一株当たりの純資産を割り込んだものの中から、下げ止まって上がりはじめたと思われるものを仕込むものです。2001年から2002年の暴落時には絶好の仕込み場となっています。このBPSの算出法は株主資本（＝自己資本）を発行済株式数で割ることで求められますので、誰にでも簡単にできます。

図表15　ライジングサンの［100倶楽部］より
2002年冬に抽出した中長期銘柄（抜粋）

コード	銘柄名	抽出日	翌日寄付値	その後の高値	利益率
8093	極東貿易	12/17	272円	393円	44%
4201	日本合成化学	12/25	106円	169円	59%
8165	千趣会	1/7	295円	628円	213%
1866	北野建設	1/15	111円	193円	74%
7701	島津	1/15	271円	394円	45%
8091	ニチモウ	1/15	114円	178円	56%
7970	信越ポリマー	1/21	348円	519円	49%
8803	平和不動産	1/28	228円	323円	42%
7972	イトーキクレビオ	2/4	189円	269円	42%
8614	東洋証券	2/4	156円	246円	58%
7704	アロカ	2/12	537円	884円	65%
5479	日金工	2/18	72円	146円	103%

＊BPS（1株あたりの純資産）を基準にして選ばれた銘柄
2002年5月作成

50%～100%というもの凄いパフォーマンス（成果）。やはりバフェット流底値買いは強い！但し、買ったらしばらく売らない、という人だけが手に入れられる大勝ち。

あとは買った後はどうせ売らないですから、日々の株価など気にせずタンスの奥にでもしまっておけば、ひょっとしたら数年後には大化けしている可能性があるのです。

株価の上げ下げは、みんないい加減でアテにならないものであるからこそ将来とんでもなく株価が上がることもあるわけで、だからこそ株を安く買って塩漬けにし、この先の正の不確実性に賭けるわけです。それこそがリスクをとるということであり、定期預金では決して得られない莫大な利益の可能性があるのです。

バブル崩壊後10余年に渡って売られ続けた日本株が、今安いのか、高いのかはこれからの将来が決めてくれることです。しかし２００１年からは外国人は中長期ベースで日本株をじっくり時間をかけて買ってきています。その間、株価が下がったのは日本の銀行や機関投資家が売り続けたためです。売りものが多ければ株価は下がり、売りものがなくなって買い手が増えれば上がるのが株価です。

今をどう考えるかは私たち自身が決めることであり、銘柄はその中においてはじめて選択されるのです。

(2) 業績を買う銘柄選択

このパターンはおそらくもっとも多くの投資家が行っている株式投資に近いものといえます。株式投資とはかんたんにいえば、将来の期待収益を現在価値に置きかえたもの、という広く支持された理論があります。

したがって、多くのアナリストや投資家も今業績がよいものは、きっと将来もいいはずだというきわめて短絡的で都合のよい論理で株を買わせ、また多くの投資家が買っているのです。

そのことの是非の前に「業績が良いものは買われる」というのは株というものの性質から間違いないわけですから、それに乗ることは株式投資にとって大変有効な戦略となります。

株価の項で申し上げたように、株は買い手が次々と現われてくれなければ売り手ばかりになって下がってしまうわけですから、買い手が続々と増えてくれる可能性が高い銘柄を選ぶことが至上命題になります。その観点からみると、その第1は業績の伸びている成長企業ということになります。

ここで大事なことは、四半期毎に業績やその予測も発表されている中で今業績が伸びている会社の方が、今業績が悪い会社より次の業績発表がさらに伸びる確率から高いということです。それは企業業績には一定のトレンドがあり、反転するよりも継続する方が確率が高いからです。この業績については、私たちが新聞や雑誌で手に入れる頃にはすでに好業績情報は機関投資家などにアナリスト達が先に流しているらしく、新聞発表で株価がワァッと上がった途端に終りというケースが目立ちます。

そこでこのワァッと上がった後の下げ止まりを狙って買っておき、次の業績発表で再び業績の伸びが確認される可能性を追うのです。うまくこの業績上昇の伸びに乗ることができたら、株価は2倍、3倍も夢ではありません。もちろんこの方式は業績の伸びが止まったら直ちに止めるのが原則となります。

この業績の見方については、四半期毎に「会社四季報」などでみて経常利益の増額修正されているのが、もっとも狙い目になります。もちろん増収増益が基本です。

ただ新聞紙上などで増収増益が発表されても株価が上がっているものと、逆に下がっているものが出ますが、これは予想よりも増益率が大きいか小さいかによるところが大きく、株価というものは期待で成り立つものですから、ある期に出した予想はすでに株価に織り込ま

図表16　業績で買われていたものは業績で売られる

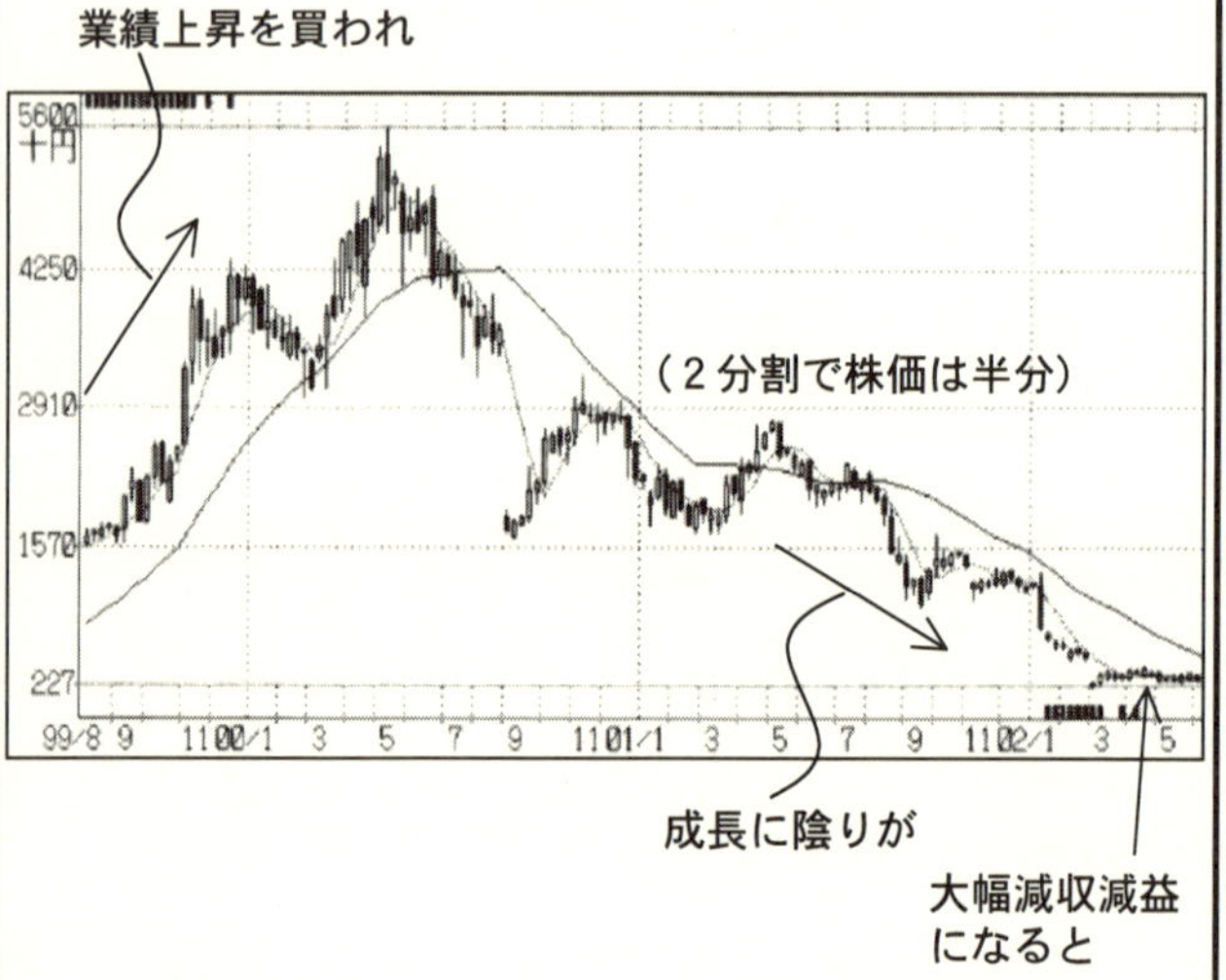

［9983 ファーストリテイリング］（ユニクロ）
の週足チャートで見る成長神話の崩壊

れているので、それより良い数字なら買われ、悪ければ売られるわけです。

いずれにしても企業収益はトレンドと同じで、上昇に入るとしばらくは続くことが多いのでうまくいくとかなりの成果が期待できます。しかし一方で株価は期待であり、長い間業績がよいことで買われたものが一転業績悪化ともなると、それまでの期待が仇になり今度はとめどもなく売られ続けるというケースが目立ちます。したがって、業績が止まったら直ちに売らないと利益が減るどころか大損失に至ることもあります。まさに銘柄は信用しても株価は信用してはいけないケースです。

お勧め銘柄を買って持ち続けて大損するのはこのような時です。優良銘柄の高値を買わされて半分以下に下がってしまうことなどしばしばあります。そしてこうした銘柄の下げ過程の買いは、「高値の覚えの押し目買い」という最悪の選択になるおそれが多いので、充分に注意が必要です。

このように「会社四季報」などで会社業績をチェックすることによって銘柄選択が可能ですが、この投資方法は業績という不確定要素で売買するので、あくまでも3ヶ月を単位としていつでも利喰い、またいつでもやめるトレーディングに撤するのが定石となります。また四半期毎の「会社四季報」などでチェックする前でも、株価や出来高から利喰いすべしと判断したら実行することが肝要です。

アナリストや証券会社のお勧め銘柄には「買え」というばかりで、やめたり利喰いする条件がついていない点に陥し穴があります。トレーディングにおいてはいつも撤退する条件を付与しておかなければなりません。

株は買われた理由が消滅すれば買われた分だけ下がることを肝に銘じておかないと、これまでの多くの人の好い投資家の二の舞になってしまうことになります。

(3) 株価の上がりっ端をとらえる銘柄選択

前項までは株式投資の中でも基本的な売買手法を述べてきました。これまで日本の投資家はこうしたまことに定石的な当たり前のことですら知らず、売ることが前提にない「株式投資もどき」をベースに、そこへ業績の良い株とブランドや、ときにテーマ性を加え、さらにやられたときには中長期の塩漬け株の保有型、儲けたときは1～2割でトレーディング型を駆使するという、まさにゴチャゴチャの株式投資をしてきたのです。

ここでもっとも理解してもらいたいことは、銘柄選びには投資家の戦略が必要だということです。

つまり銘柄の選び方はその方の資金や性格、そして経験によって異なるもので、ただ何かいい銘柄を探すことではないのです。

上記の2つの銘柄選択は比較的時間をタップリかけるという戦略の中で、資金も固定化することになるため、ゆとりのある資金管理で臨むべきであり、小さな資金で短期に大幅利益をあげようとする投資家にはむかないのです。

株のトレーディングを目指す人は、①の銘柄選びは無縁のものと考え、②の方法か、これから述べる2つの銘柄選びをしっかりと覚えることが大切です。

「安く買って高く売ればいい、そんなこと当たり前じゃないか、誰にでもわかるよ!!」

そうです。冒頭に書いたように小学生でもわかる実に簡単なことです。それはすべての資本主義的行為の大原則であり、これなしには何も成りたたないというのが資本主義というものです。そして株式市場は資本主義の中核を成す存在です。

しかし、現実の株式投資においては、ほとんどの投資家は結果的に高く買って安く売っているのが現状です。その理由はいろいろありますが、絶対的な間違いがひとつあります。それが投資家の大好きな〝いい銘柄〟です。ソニーやドコモそしてソフトバンクがいい、日本のフラッグシップ（旗艦）カンパニーだから買いだ、この会社がダメになるくらいなら日本もダメになる、株式市場が回復するときはこうした銘柄がリードするはずだ、日本の将来を買うならこれしかない、などという銘柄への信奉です。

繰り返しになりますが、こうした銘柄には安いか高いか、あるいはいつ買うべきかどんなときに売るべきか（儲けるためには利喰わなければならない）など、安く買って高く売るという儲けるために絶対必要な経営的、あるいは商行為的条件はありません。あるのは発行している会社はいい会社で、それが今は成長が期待できる業界の優良企業であるという点を強調したものばかりです。つまり銘柄主義の株式投資には資本主義的な売買取引の要件が完全に欠落していることになります。株価がこれほど高くなったり安くなっているのに、誰もそのことはいわないのです。

私たちは株式投資というもっとも資本主義的な取引をする以上、安く仕込んで高く売るという絶対要件だけは守るべく行動するのが最重要課題となります。株で儲けるためにはただ買うのではなく、できるだけ「安く仕込む」ことが必要です。

この安く仕込むことを徹底して行うことが、これから述べる株価の上がりっ放を捉える、すなわちトレンドフォロー型の銘柄選択によるトレーディングです。

このトレーディングは安くなっていた（ここ半年以内で）銘柄が何であれ、その銘柄の良し悪しよりも、株価が上がってきたことは間違いないのですから、誰かがチャンスと思って買っているわけです。

それがどうしてかという理由を知ることは私たちには無理なことであり、そんなことよりも今、上がりはじめているというところに重きを置く手法です。

１～２ヶ月でできるだけ大きな利益を上げるのがトレーディングの目的ですから、どんな株で儲けようといかなる理由で買われようと、とにかく儲けることに徹していくのが原則でなければなりません。

しかし株価が安くても低迷しているものを買うと、株価が上がるのに時間がどのくらいかかるかわかりません。そこで株価が蛇が鎌首をもち上げるようにグッと上に向かった上がりっ端をとらえるのが効率的になるはずです。

私のところではこれをトレンド一番乗りと称していますが、うまくいったときはスイスイ上がり、安いときに買うため短期で３～５割も抜けることもよくあります。もちろんそれも全体相場との絡みの中でおきることですが、そのかわりダメなときにはすぐ止めるのが鉄則です。ルールは10％のロスカットとし、１ヶ月もたってトントンでどうもイヤだなと思ったらトントン切り、チョイ負け切りも励行するのが原則となります。

実は「トレーディング教室」の中ではこの一番乗りに適した銘柄をリアルタイムにトレーディングしてシミュレーション運用を行っています。

一番乗り銘柄は最終章で述べる株価基準の「風林火山」による半年以内の日足で、株価位置が風の位置のものの中でスタートします。

抽出条件は株価移動平均（私のところでは26日）が上昇に転じたものの中で、とくに強そうな勢いのあるものを中心に行います（図表17参照）。

もちろんその中から小型か大型か低位か値嵩かなどそれぞれの条件を加味して、自分の銘柄を選べばよいのです。

多くの銘柄の中から探し出すのは面倒ですが、これは戦争であり、お金儲けです。そのくらいの苦労は当たり前というのが私の意見です。

いずれにしてもこうしたトレンドにつくという手法は、買いにしろ「カラ売り」にしろ、これからの株式投資には欠かすことのできないものと考えてください。

図表17　トレンド一番乗り

エクセディ（7278）
抽出日2月7日　538円

大きく下げていたものが上がり始めたときに乗る。上手く乗れればあっという間に上昇。

(4) 需給を買う銘柄選択

これは短期大幅利喰いを目指す、もっとも投機的な株式投資における銘柄選択です。しかし、損切りロスカットの励行と高値追随買いさえしなければ、こわい分だけ用心してかかるので、かえって小さな損で終ることができます。

ここでの戦略は株式市場が「いい株=優良株」を旗頭に銘柄主義を建前としていることの対極にある、株式市場の本質である投機性をターゲットにするものです。

株式においてはこの本音と建前を上手に使い分けないと、いつもお金を奪られる側にまわることになります。とくに外国勢に占領された現在の株式市場では、なおのこと、この「投機性」という意味を理論と行動とによって理解する必要があるのです。

株式市場には少ないときで30%、多い時は50%以上の短期の投機資金が入っています。今流行のヘッジファンドから証券会社のディーラー(自己売買部門)、外国証券会社のトレーダーあるいは仕手的な投機筋、さらに加えて短期利ザヤを狙う個人投資家や事業法人も含まれます。なんせ安く買って高く売り抜ければ誰でもが儲かるわけですから、世界中から投資のプロ、アマ問わず投機家が参加してくるのです。

そうしたプロたちは証券界がいつも私たちに教える中長期投資とは全く異なり、はなから株を持つつもりなどありません。あくまで彼らの多くは自然な相場を待つのではなく、恣意的に株価上昇を狙い、安く仕込んだものを誰かに高く売り付けようとしています。

その中には1日に何度も売買を繰り返すデイトレーダーといわれる超短期の投資家も含まれていますが、そこではまさに仁義なき戦いが行われ、毎日、強い者が弱い者から金を取り上げているのです。

とくに日本の株式市場においては、さしたる買う理由のない銘柄を証券会社のディーラーが主導する形で株価を恣意的に買い上げる材料・仕手系株というものが多く見受けられます。株価というものは買えばいくらでも上がる性質をもっているので、短期に5割、10割も急騰させることが可能性です。しかし仕掛け人たちは安く買ったものを売りつける相手がいなければ儲けることはできないので、さまざまないわゆる「材料・仕手情報」を流して投資家を魅きつけ買い手を募って売り抜けることになります。

株価の項で述べたように株価は買えば上がり売れば下がります。そうした売り手と買い手の力関係を〝需給〟といいます。その株がいい株か悪い株かは問題ではなく、とにかく需給によって上がるものを買い、高くなって売れば利益は出るわけです。彼らにとってアナリストや証券会社のいう「買うための理由」などは関係なく、ひたすら株価差益（キャピタルゲイン）を求めて株価を上げ、高く売り抜けようとする行動を繰り返しています。

そうした投機資金の中には日毎の売買のものもあれば1～2週間、あるいは1～3ヶ月かけてというように、その資金の性格や儲けようとする方法論には違いがあります。しかし投機的な行動は人間が行うものであり、とくに株は買って売るか売って買い戻すか、どちらかしか儲ける方法はないため、その行動の意図するところは出来高や株価に共通して現れることが多いものです。

こうした需給の動きをみて、まだ株価が安いうちに買って投機資金が上げるのに便乗して儲けようというのが、需給を買う株式投資といわれるものです。私のところではそれを「おもしろ銘柄」と名づけて、安値圏の出来高の推移を追いながら銘柄を探し出して大勝ちを狙っています。

この株式投資は当然にトレーディングとなるわけですが、期間は半年以内、通常は1～2ヶ月、短いときは1～2週間で決着をつけることになります。

需給の動きを見て狙う株式投資の銘柄選択は、いつも決まったパターンがあります。それは業績は関係なく、発行済株式数が１億～１億５０００株以下でかつ浮動株が５０００万株未満のものが多くなります。投機筋はその方が少ない資金で株価を上昇させることができるからです。そして踏み上げといって「そんな株が上がるはずがない」という思い込みで入ってくる「カラ売り」を、株価を急騰させることで損失覚悟の買い戻しに向かわせ、随いてくる信用買いと併せてさらなる急騰を狙うことが多いのです。

こうした材料・仕手系株は東証１部だけでも１００銘柄ぐらいはあり、その中を巡回するように投機資金が移動しています。したがって、この「おもしろ銘柄」の選択の枠はかなり狭められるわけです。

もちろん私たちが目を皿のようにして仕込みの兆しを探しても、見つけられるのはほんのわずかです。しかし、大切なことはそうした投機資金が私たちが利用して、高く売り抜けて利益を挙げようとしていることであり、もしその動きを察知したら早めに仕込んでついていけばよいのです。材料・仕手系株もまた上がる前であれば、それは大切な銘柄選択になるのです。

株価の項で詳述したように株式投資は安く買って、高く売らなければ儲けられません。さらに大きく儲けようとすればするほど、大量に仕入れなければなりません。

図表18　底値圏の大出来高を買え

［おもしろ買いクラブ］抽出

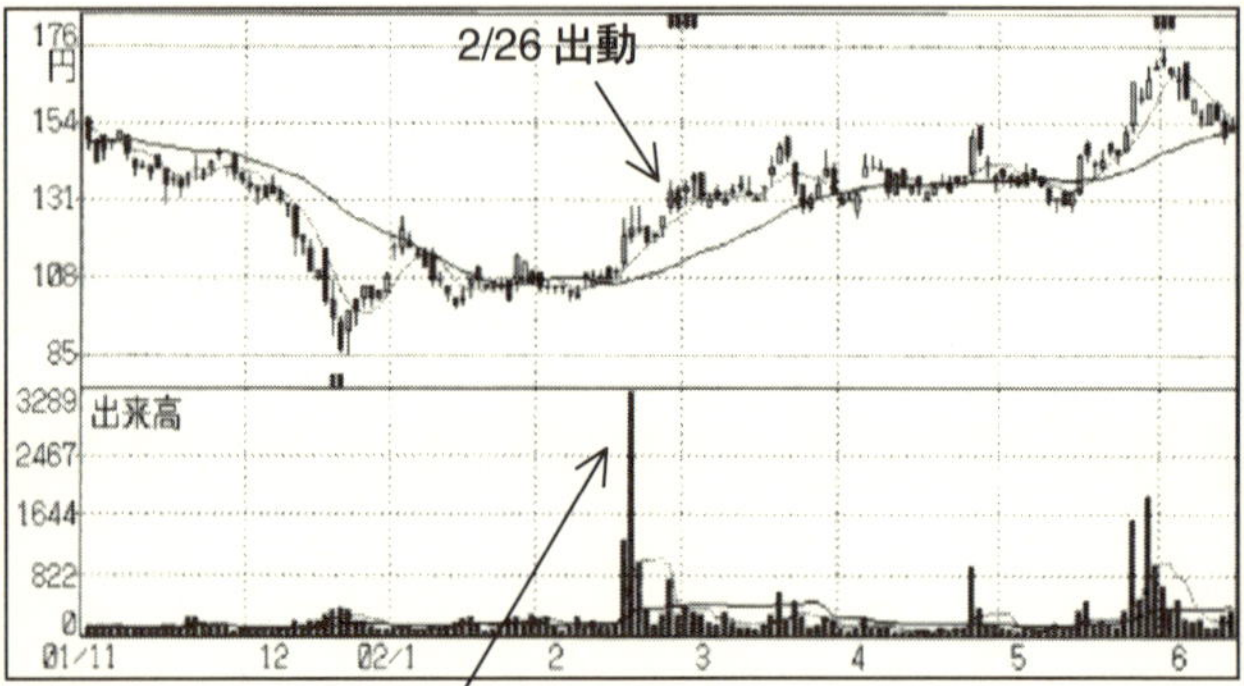

［7995 バルカー］
株式市場が大底を売った直後に出てきた銘柄。
底値圏で買ったものは大きな利益を得やすい。

誰がやろうとも安い時に大量に仕込む必要があり、そこにはっきりとした株価や出来高の動きが現われてしまいます。この手の銘柄において底値圏に現われる大出来高の多くはその中のひとつとみてよいでしょう。

誰も買わないような底値で大量に買い手が現われるのは、まさにこれを買って儲けようという買い手の強い意思と考えられるのです。これをV（ボリューム＝出来高）チャートでみると次頁の図表19のようにみえます。株価が落ちて安くなったところで明らかに誰かが大量に買い、その後、株価が上昇をしているのがよくわかります。

結果的に上昇した材料仕手系株は、安値圏のどこかにこうした特異な現象が現われることが多いものです。ただこれらの現象は、よほど関心をもって注意深く毎日の相場を見ていなければ私たちの目に触れることはありません。

しかし先ほどから繰り返し述べているように、株式投資は闘いであり、とるかとられるかの過酷な生き残りゲームでもあるのです。誰かに利用されるのではなく、自分からすすんでチャンスを狙う姿勢なくしてあまたの投資のプロフェッショナルたちに勝てるはずありません。底値圏の大出来高を捉えることができたとしても、そこから5分5分の凄絶な闘いがはじまると考えて行動することが大切です。

図表 19　底値大出来高を探せ

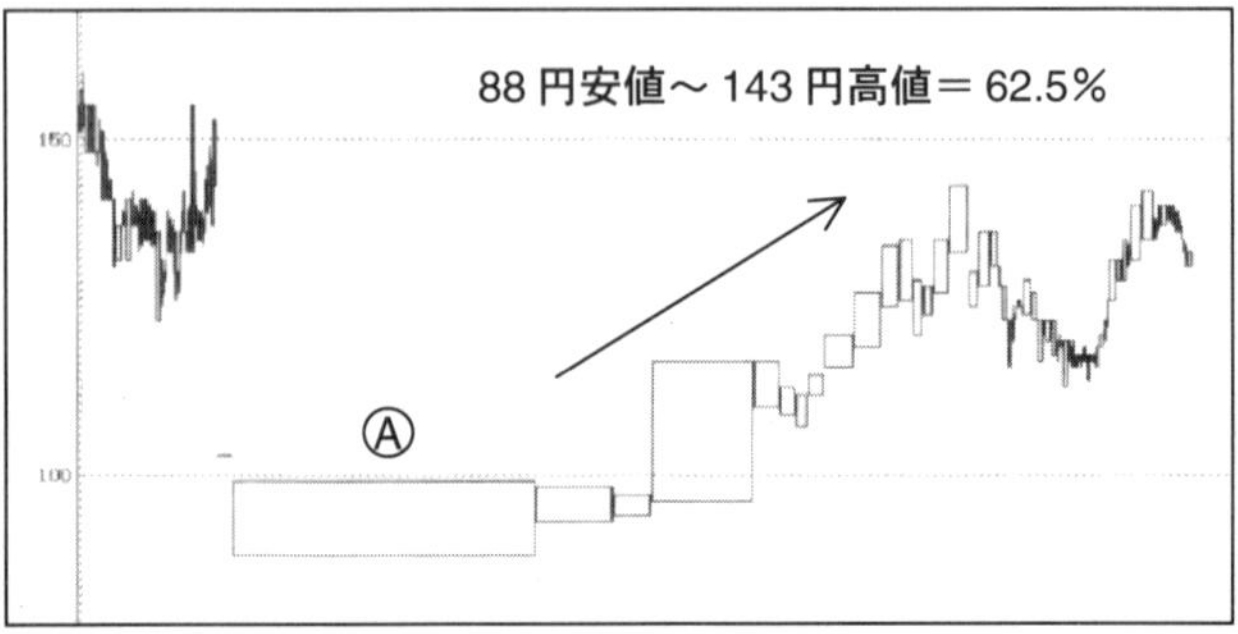

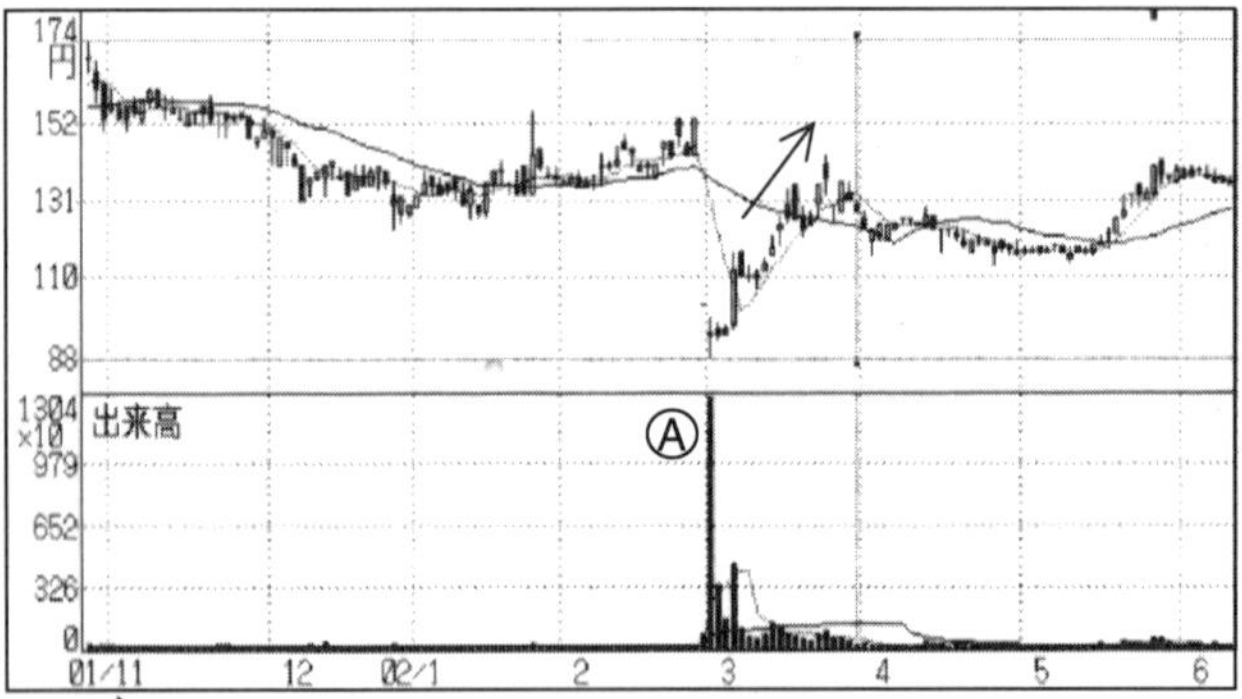

下値で大量の買いが入り、株価は急反転。出来高チャート（Ｖチャート）でみるとよくわかる。
（四角のヨコ軸は出来高、タテ軸が株価の高安）

いずれにしてもこのような投機資金の存在は、ビッグバン時代の株式投資を席巻するはずであり、充分な注意が必要です。

銘柄選択のまとめ

銘柄選択とは銘柄に固有の経済的ファンダメンタルズに基づく情報を元にするものではなく、それは単に条件のひとつにすぎません。銘柄選択において大切なことは株価位置の判断に基づいて、いかにその変動をとっていくかという戦略の中で、その戦略に相応しい銘柄群を探すことにあります。

つまり、銘柄ありきではなく、戦略に適した銘柄群の中から今買いに適していて、かつ株価が大きく上がる確率の高そうなものを選び出すことこそ銘柄選択でなければならないのです。

私の会社でも現実の対応としては、今述べたように会員の方のスタンスに応じて同じ買いを希望されても長期投資・中期投資・短期投資と3つに分けて、それぞれ違う銘柄を出しています。

もちろんそれぞれに応じたノウハウ・技術で確率の高い銘柄を出してはいますが、相場状況によって勝ったり負けたりで、いい相場のときは大勝ちもあるし、悪い時はやられが続くこともあります。しかしそれは当然のことで、その中で投資家の方に損切りロスカットの大切さやトントン切りあるいは利喰い、ときには資金管理の注意などをしながら投資技術の向上を図ってもらっています。はじめの内は慣れないせいか、ほとんど自己流でやっていかれる方が多いのですが、やがて自己流がよくないことを理解し、次第に定石に沿った株式投資へと転換していきます。

自分たちのやってきたことと私の方から教えられるものとのギャップがあまりにも大きく、はじめはついていてこれないらしいのですが、半年もすると新しいやり方に慣れてくるようです。その間に証券会社からいってくることと、私の方からの意見の板バサミにあって苦労しているケースも多くあるようです。しかし結局は証券会社が行う買わせた株を売らせずにナンピンさせたりすることの危険を知ることになり、自立する投資家へと転身を図るようになっていきます。ただし、それも資金が続く人だけのことで、そうなるまでに資金を失っていく投資家があまりにも多いのが現実です。

「株のトレーディング教室」を開いたのも実は投資家の方の試行錯誤をどうしたら減らすことができるかという点において、リアルタイムな動きの中でプロトタイプのトレーディングをみていただきダメなものは早く切り、儲かっているものを残すという正しい自己ファンドづくりをみてもらうためだったのです。

銘柄選択はあくまでも確率であり、選んだものの、明日のことはわからないというのが正しいスタンスです。

いかなる銘柄選択も単に選択すればいいというものではなく、相場観を伴った戦略的なものであり、投資スタンスや売買術とも切り離すことのできないものであることをしっかりと認識してください。

第6章

実践講座　その3
——相場観のつくり方

相場観とは

いよいよ3つの基本技術の中でもっともむずかしい相場観についてです。

相場観とはわかりやすくいうと今が買い時期か、売り時期かの判断・見通しなどを含めた総称です。もちろんここまで述べてきたように相場の明日は誰にもわかりません。したがって、あくまで現在までに起きている事象から、この先がどうなるかを推測し資金を投入するかしないかを決めなければならないので、投資の実践においてはこの相場観がもっとも重要であるといってよいのです。逆にこの相場観をしっかりと手に入れれば圧倒的に有利なトレーディングが可能になるといえます。

株式市場というところは単体の商品ではなく、たとえば東証一部でいえば1500くらいの銘柄が売買されていますが、そうした多くの取引が集合して全体相場（以下相場という）を形成しているのです。

そして全体相場の傾向を示すために指数というものが便宜上つくられて、たとえば225

銘柄をピックアップして単純平均（銘柄ごとの株価を和して225で割る）したものに日経平均があります。この指数は上がったとか下がったとかの目安として新聞やテレビでも採り上げられています。

その結果、投資家は株式市場を日経平均で判断することが多くなります。またこの指数に関連した銘柄を売買するインデックス売買といわれる投資を主に行っている機関投資家などは、確かに日経平均の動きに直接、影響を受けることになります。

とくに現在の株式市場は外国勢が売買代金の半分以上を占めるようになった結果、この日経平均などの指数について先物やオプションができ、現物との間での裁定取引といった、いわゆるデリバティブが主要な商品となってきました。そのため日経平均などの指数は派手に乱高下することになり、否が応にも目立つ存在になっているのです。

またそうした傾向に便乗してアナリストや評論家はすべてを日経平均などの指数をもとに、景気・経済のファンダメンタルズなどとリンクさせて、やれ底割れの危機だの、年末は○○円になるなどのコメントを流し続けています。

少なくとも株のトレーディングを志す人は、それが大きな間違いのもとになるということを理解し、それとは別の判断材料を手に入れる必要があります。

なぜなら日経平均が下げていても上がり続ける銘柄もあり、逆に日経平均が上がっているのに下げるものもあるわけです。当然、225種の銘柄も上げ下げがあった上での平均の数値です。私たちは指数を売買するのなら別ですが、個別の銘柄を売買して利益を得ようとするわけですから、あくまで個々の銘柄の問題として捉える必要があるのです。

もちろん個々の銘柄は全体の流れの中にあって相場全体からの影響も受けますから全く無視するわけにはいきませんが、それはあくまで参考程度でなければなりません。

たとえば日経平均が下がっている方が買われる銘柄もあるのです。とくに私たちが投機家として材料・仕手系株などを選ぶときはその傾向が強くなります。

それは指数絡みで株価が急上昇したりするときは証券ディーラーやデイトレーダーの資金が急遽そちらに移動したりすることがあり、逆にそちらがダメなときは指数に関係のない銘柄へ流入してきたりするからです。

つまり、相場観とは指数の動きではなく、全体の大きな資金の流れ・流入具合、さらにはどんな銘柄へ資金が流れ込もうとしているかなどを知ることでなければなりません。

とくに資金を動かしている売買主体、つまり機関投資家・外国勢やヘッジファンド、さらには証券ディーラーや個人投資家の動きなどを追って、その動向から自分が今どんなスタンスでトレーディングに臨むべきかを知る必要があります。

いずれにしても指数の動きで相場を判断することは至難の技であり、それはトレーディング上ではほとんど意味のないことと知って下さい。

またこのことは簡単に説明してもわかりにくいことなので、この相場観を毎週、新聞形式にして会員の方やトレーディング教室の方、希望する方にも読んでいただき理解を深めてもらっています。購読されている方からは「おかげで今自分が何をすべきかが、自分で組み立てられるようになった。今まではなんとなくやっていた投資に、バックボーンができたような気がしています」と喜ばれています。

１５００近い銘柄の中からわずかの銘柄を買うわけですから、全体相場がどうであれ、自分だけが儲かればよいのです。

みんなが青ざめているときに自分だけ笑うことだってあるのです。トレーディングは平均でも多数決でもありません。それはつねに少数の人だけがまわりと違う行動をすることで、みんな損の中から利益をもらうことだと考えなければなりません。ふうつの人がやっていることと同じことをやっていては、金儲けなどはできるはずがないのです。

最後になりますが、投資家の多くはこの相場観を新聞やTV、そして証券会社からの情報

週刊ライジングサン新聞2002年4月第1週号

週刊■ライジングサン新聞（相場動向編）　2002年（平成14年）4月5日（金）号　(1)

週刊 ライジングサン新聞

4月第1週

ライジングサン　アセットマネジメント㈱
〒102-0084東京都千代田区二番町11-9-103

外国人の買いが戻ってきた!!
相場は調整を終えて新たな展開へ。

■今週の全体相場

先週号でも書いたように相場は収縮の後、上への拡大に入りました。2月から3月にかけての日経平均で2500円もの上昇第1波の調整が完了したようです。

先週金曜日の3／29には1万1000円割れ寸前となりヒヤリとしましたが、今週4／2から上昇に転じ、3日には安値から470円もの大陽線となっています。この大陽線は直近の6億株割れから8億株近い出来高の増加を伴っており、新しい第2波の上昇相場に入ったと考えられます。上昇する銘柄も増えてきており、市場には次第に強気の声が出はじめています。しかし経済ファンダメンタルズでみる人は多く、依然弱気が支配的でカラ売りも尽きません。

相場のはじまりとはいつもこうした雰囲気があるからこそ上がるのであり、逆に全員が強気になると相場は天井を迎えることになります。3月までの上昇はカラ売りの買い戻しと先物高――裁定買い中心で、早目に出ていた人以外はとれていませんが、ここからが本当の儲けるべき時機となります。動きの悪いものは切っていいものだけを残し、強気に攻めるときです。

■主体別売買動向

4月以降の相場を決定する外国勢が買いにまわったようです。今週は「外国人買い」VS「日本勢の売り」の構図の中、先物高から大きく上昇してきました。市場の半分近くを占める外国人が買ってきているのですから、相場には願ってもない事態となっています。

そんな中、下値不安がなくなった市場では短期に値幅が稼げる小型の優良株や材料・仕手系株に短期の投機資金が集中し、多くの銘柄が賑い出しています。2～3月にかけて早目に動いた買い方はかなり利を上げはじめ、資金は膨らみ、次々と新しい銘柄へ移動するといういわゆる買いの回転が効く状態となっています。

そうした動きは証券ディーラーやデイトレーダーといった超短期の資金に顕著であり、この流れは次第に新しい資金をマーケットに呼び込むことになります。ここは焦らずじっくりこれからの銘柄を。やられているカラ売りは早目の撤退を！

来週からリニューアル企画「今週の話題株」がはじまります。すでにお申込みの方はお楽しみに！まだお申込みでない方は奮ってのご参加を！（詳細は月刊新聞を参照）

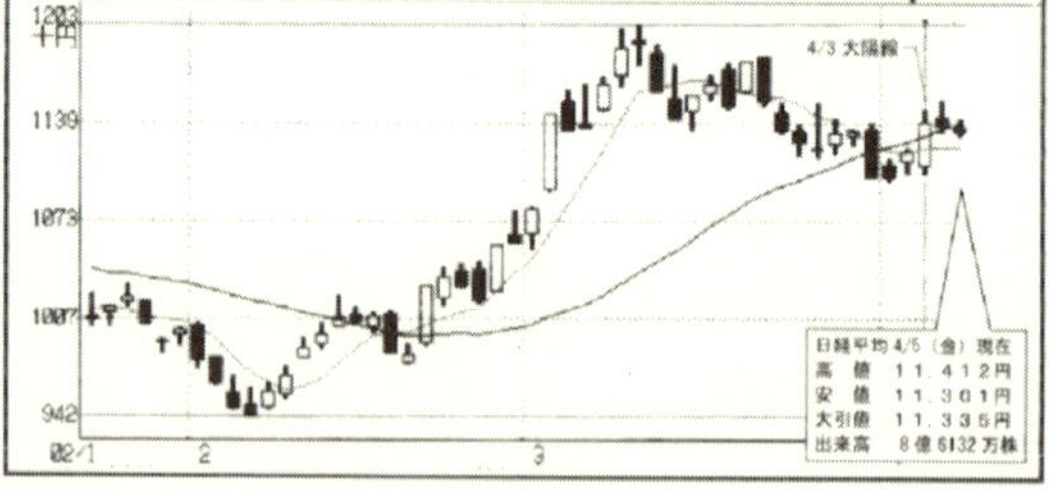

図表20　相場観はこうしてつくる!!

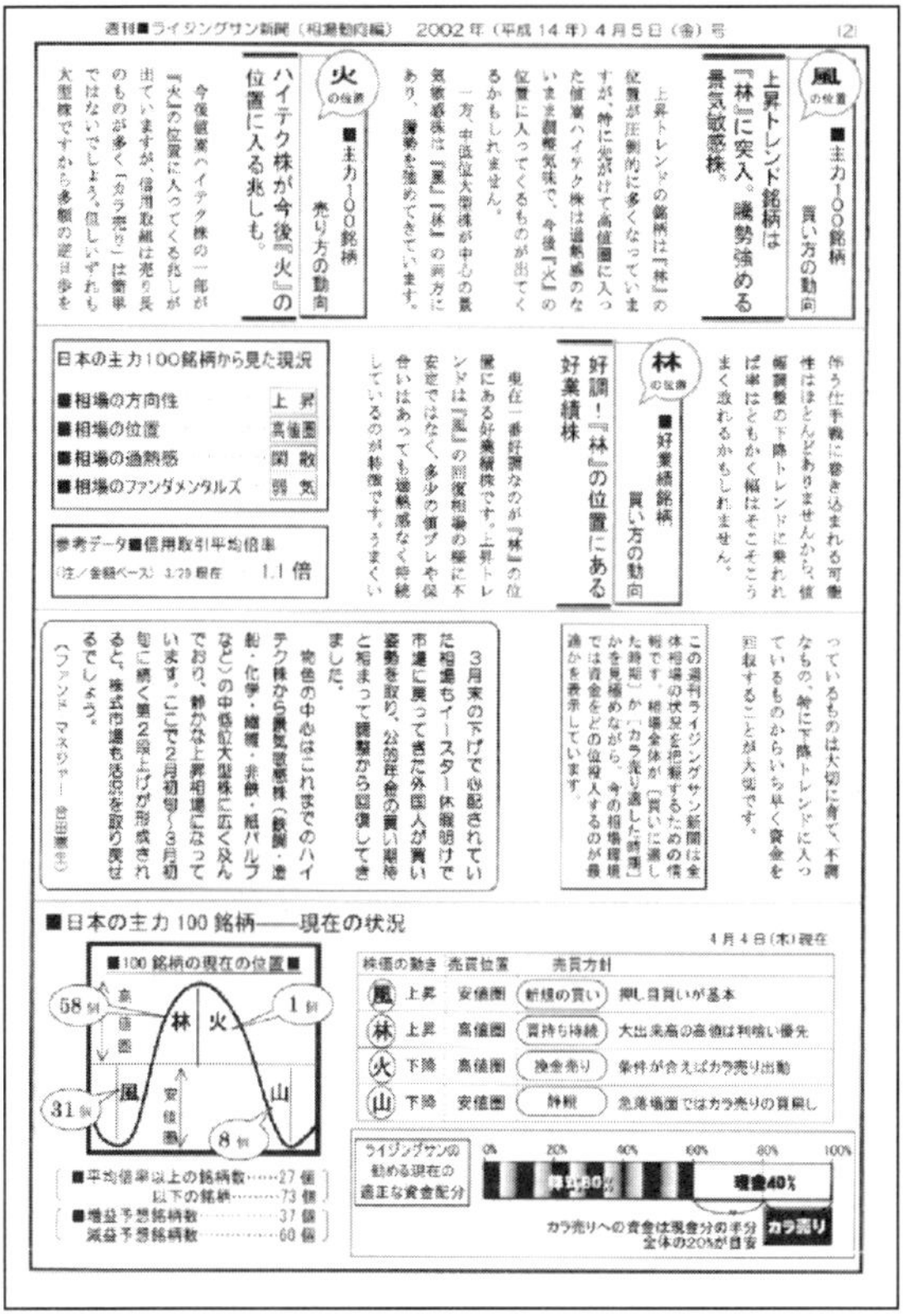

週刊■ライジングサン新聞（相場動向編）　2002年（平成14年）4月5日（金）号　(2)

風の位置

■主力100銘柄　買い方の動向

上昇トレンド銘柄は『林』に突入。騰勢強める景気敏感株。

上昇トレンドの銘柄は『林』の位置が圧倒的に多くなっていますが、特に先駆けて高値圏に入った優良ハイテク株は過熱感のないまま調整気味で、今後『火』の位置に入ってくるものが出てくるかもしれません。

一方、中低位大型株が中心の景気敏感株は『風』『林』の両方にあり、騰勢を強めてきています。

火の位置

■主力100銘柄　売り方の動向

ハイテク株が今後『火』の位置に入る兆しも。

今後優良ハイテク株の一部が『火』の位置に入ってくる兆しが出ていますが、信用取組は売り長のものが多く「カラ売り」は簡単ではないでしょう。但しいずれも大型株ですから多額の逆日歩を伴う仕手戦に巻き込まれる可能性はほとんどありませんから、値幅調整の下降トレンドに乗れれば率はともかく幅はそこそこうまく取れるかもしれません。

林の位置

■好業績銘柄　買い方の動向

好調！『林』の位置にある好業績株

現在一番好調なのが『林』の位置にある好業績株です。上昇トレンドは『風』の回復相場の様に不安定ではなく、多少の値ブレや保合いはあっても過熱感なく持続しているのが特徴です。うまくいっているものは大切に育て、不調なもの、特に下降トレンドに入っているものからいち早く資金を回収することが大切です。

この週刊ライジングサン新聞は全体相場の状況を把握するための情報です。相場全体が［買いに適した時期］か［カラ売り適した時期］かを見極めながら、今の相場環境では資金をどの位投入するのが最適かを表示しています。

日本の主力100銘柄から見た現況	
■相場の方向性	上昇
■相場の位置	高値圏
■相場の過熱感	閑散
■相場のファンダメンタルズ	弱気

参考データ■信用取引平均倍率　（注／金額ベース）3/29現在　1.1倍

3月末の下げで心配されていた相場もイースター休暇明けで市場に戻ってきた外国人が買い姿勢を取り、公的年金の買い期待と相まって調整から回復してきました。

物色の中心はこれまでのハイテク株から景気敏感株（鉄鋼・造船・化学・繊維・非鉄・紙パルプなど）の中低位大型株に広く及んでおり、静かな上昇相場になっています。ここで2月初旬～3月初旬に続く第2段上げが形成されると、株式市場も活況を取り戻せるでしょう。

〈ファンドマネジャー　[illegible]〉

■日本の主力100銘柄——現在の状況

4月4日（木）現在

■平均倍率以上の銘柄数……27個
以下の銘柄………73個
■増益予想銘柄数…………37個
減益予想銘柄数…………60個

	株価の動き	売買位置	売買方針	
風	上昇	安値圏	新規の買い	押し目買いが基本
林	上昇	高値圏	買持ち持続	大出来高の高値は利喰い優先
火	下降	高値圏	換金売り	条件が合えばカラ売り出動
山	下降	安値圏	静観	急落場面ではカラ売りの買戻し

や自分のカンでつくっていることが多いものです。たとえば景気がよくなったからとか、政策が発表された、あるいは為替が円高に振れたからなどを理由にして、ここがチャンスと資金をどっと注入したりします。

しかし相場観とはそんな単純なものではなく、さまざまな要素の積み重ねの中から一つの結論を出すいわゆる抽象化という最高難度の技術なのです。にもかかわらず証券会社などは簡単に今こそ買い時機、年末は日経平均はここから1000円高い、いや3000円高もなどといって買わせてきたのです。

相場の達人にとっても、この買い時機の判断こそがすべてを決めるといって過言ではなく、ましてや一般の投資家の方は単なるおすすめやカン、そしてヒラメキなどでの資金注入はしないようにすることが大切です。

もちろん私たちプロにとってもこの相場観を手に入れることは、容易ではありません。

次は具体的にこの相場観を手に入れる方法について考えてみましょう。

相場観のつくり方

まず大切なことは、今現在のことですらわからないのだから、先のことはもっとわからない、という当たり前のことをしっかりと肝に銘じることです。

証券界では年末はとか、来春には相場が上がるなどと、今よりずっと先の見通しを声高にいいます。これなどは間違いをおかす典型であり、現在のことはわからないが先は大丈夫だ、だから買えというまことに不思議な論理です。

今がわからなければ先はもっとわからないというのは小学生でもわかる理屈です。つまり、株式市場の論理はとにかくみんなに金を出して欲しいということですから、何でもいいから先は高いことにする傾向があるのです（もっとも、先が安いといったら誰も買わないことも事実ですが）。

こうした現象を専門的には転倒現象といって、論理が逆転ひっくり返っており、日常の生活とは違うおかしな論理ですべてが動いているのです。実はこの逆転している部分にこそ株の利益の根源が隠されているのです。

というのはもともと株価が経済とは別のところ、すなわち投資家の将来に対する期待で成りたっており、そこにも現在と先のわからない将来とが混在し、現実と将来との区別がつかなくなっているという転倒現象がおきており、この全体と個々双方の転倒現象が同じ方向に動いたり逆の方向に動いたりすることによって株価が乱高下するのです。

いつもそうですが、相場が新しく上がりはじめるときは市場の相場観はまだまだ下がり続けると思っているときです。これでもか、これでもかと売られた直後の「カラ売り」が大量に入っているときが株価上昇の出発点になるのです。

繰り返し述べているように、株価は買い手が強ければ上がるのであり、いくら景気が悪くても関係ないのです。おかしい、そんなはずはないと考える投資家の心理が間違っていることになかなか気づかないのが株式市場のこわいところであり、相場観というもののいい加減さなのです。

ヘッジファンドなどの投機資金はそうした投資家の心理を利用して売り叩いておいて、安値を買い上げていくことで「カラ売り」を踏み上げる（売り方に損失覚悟の買い戻しをさせる）など、相場の中におきている転倒現象のギャップを逆手にとって儲けているのです。

そんなわけですから、私たち投資家はできるだけヘッジファンドのカモにならないよう、むしろ自分たちがヘッジファンドの動きを利用するくらいの根性をもってことにあたらなければ、損ばかりすることになってしまいます。

したがって、私たちは遠い将来に対して行われるいい加減な予測を排除し、直近の将来を少しでも確率高く知るために現在起きている事実にもとづいた推測をする必要があるわけです。つまり現在をしっかりと分析するしか将来を見通すものはありえないということです。

今がわからないのに先のことがわかるはずがないという意味が、おわかりいただけたことと思います。さて以上を踏まえて、自分たちの相場観のつくり方に入りたいと思います。

相場観をつくるためには銘柄をいろいろなジャンルにわけて観察することからはじめます。

たとえば、好業績株グループ、値嵩優良株グループ、大型株グループ、ハイテクグループ、金融グループ、ディフェンシブグループ（薬品などのように相場が悪くなると相対的に買われる銘柄群）、小型の材料・仕手系株グループなどです。

こうした区分けは主に公的資金、機関投資家、外国人、ヘッジファンド、証券ディーラー、投機筋あるいは個人投資家などが動くときに、その傾向が顕著に現れる銘柄群とその代表的銘柄をいくつかピックアップして毎日観察し、その株価の変動や出来高をチェックするためのものです。

これは誰が何を買っているかという主体別売買動向を知ることによって大きな資金の流れをつかもうとするものです。たとえば、外人が強力に買ってきている銘柄に今はついていこうとか、証券ディーラーが活躍し、短期の投機資金が活発だから小型の材料株を仕込もうなどと明確で具体的な相場観をつくっていくのです。とりあえず旬のものを買い、うまくいったらどこまでついていくことで大勝ちを狙い、ダメならやめればよいわけです。

こうした全体相場の観測ができるようになったら、その状況にもとづいて資金の投入量を変化させていくことになります。株価が底を打って上がってきたときと、天井をつけて下がってきたときに資金はどちらを多くすべきかはいうまでもありません。私たちは自分の都合で相場にアプローチするのではなく、相場に合わせて自分と資金とをコントロールしていく必要があるのです。

またその他に日経平均やトピックスの動きも見る必要があり、同時に外人が敏感な為替動向も参考にしなければなりません。また信用取引の取組みデータなどから相場の過熱状況なども観察します。私のところでは、このほかに日本の主要100社の現在の株価位置も同時にみて、全体動向の参考にしています。

もちろんこうしたからといって絶対に勝てるという保証はありません。しかし、これをやらなければコンパス（羅針盤）なしに荒海に乗り出すようなものです。ぜひともご自分の相場観づくりとされることをおすすめいたします。

研究したい方は、そうした結果について毎週金曜日に「今週の相場観」として購読者に低料金で頒布していますので、サンプルなどとりよせて参考にされるとよいでしょう。

相場観を手に入れるための基準づくり

相場観を手に入れるために多くの銘柄の動きと観察する必要があります。それにはどのような観察をするかという基準が必要になりますが、誰にでも使える基準に**4つの株価位置（風・林・火・山の4つ）**があります。

先ほどから株価が高い安いという論議を重ねてきましたが、具体的には何を基準にして高いのか安いのかの判断をするのでしょうか。

もちろん週足をベースとした中長期投資と日足をベースとした株式投資では、自ずから高安の基準は異なってくるはずです。ここではトレーディングを行う場合の日足ベースの基準について述べていきます。

トレーディングは直近半年間（6ヶ月）においての株価を高安の基準とします。長くて半年、ふつうなら1～2ヶ月、早ければ1～2週間で決着をつけるのがトレーディングの原則ですから、それは当然といえます。もともと株式市場そのものが企業の業績は四半期（3ヶ月）毎に発表され、6ヶ月毎に中間、本決算というように1年の4分の1とか2分の1を基準につくられています。したがって信用取引が6ヶ月期限であるものも自然であり、株価の高安を6ヶ月の中でみるのはきわめて妥当であるといえます。

さて6ヶ月の中で高安の基準をどう決めるのか、それが私のところでも使っている図表21の「風林火山」の図です。

Ⓐ点から落ちてきた株価はⒷ点で底を打ち、そこから上昇をはじめたと考えてください。

このとき(Ⓐ＋Ⓑ)÷2、つまり半年以内の前の高値と底値の中間がⒸ点になります。このⒸ点を中値といって、半年以内の全開の天井と底との平均値であり、これを超えてくれば〈林〉となり、前の高値を超えるかどうかの挑戦になります。この図は前回の高値を超えて新しい

図表21　相場の基準作り＜風林火山の図＞

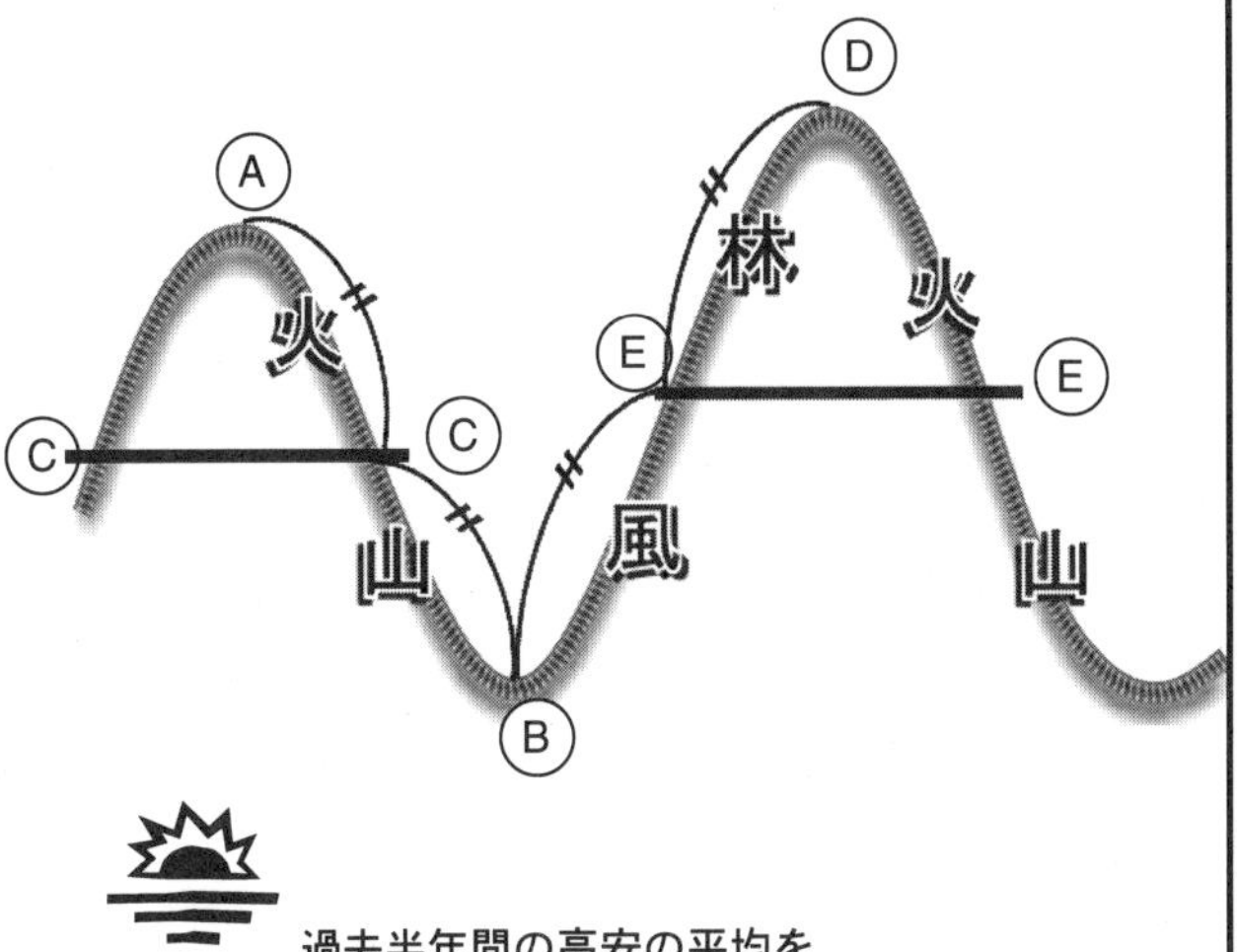

過去半年間の高安の平均を
中値（C—C）（E—E）とし、
株価の基準をつくる。

天井Ⓓ点ができており、それによって新しい中値は（Ⓑ＋Ⓓ）÷2＝点になります。

天井Ⓓ点をつけて株価が下がりはじめたら、〈火〉の位置になります。（中期移動平均がマイナスになる＝私のところは26日移動平均）この〈火〉の位置はⒹ点からⒺ点まであり、もしⒺ点を超えて下げたらここは〈山〉となります。

株価が〈山〉に入ってしばらく下降した後下げ止まり、次第に上昇をはじめたら再び〈風〉とするのです（中期移動平均がプラスになる）。

このように、中値という絶対基準をつくり、この中値を中心にして株価は高いか安いかというのが、基準になるわけです。

株価に対する「高値覚え」があるように、人間の頭の中つまり相場観は、大変あいまいで相対的であり、アテになりません。したがって、6ヶ月という比較的直近の短期間において、高値、安値、そして中値という3つの基準を明確にし、それをもとに株価の高安や出動ポイントの策定をしようというのがこの「風林火山」の考え方です。

今株価は上がりかけているのか、下がり出しているのか、それを見るためには絶対に必要な基準です。

1～2ヶ月の短期的なトレーディングにおいて、最低限この程度の認識をもってあたれば、大きな失敗の確率は激減し、さらに出動ポイントの訓練や利喰いのノウハウを手に入れれば勝率はグーンと高まることになります。

また、こうした株価の高い安いの絶対基準をつくり、監視している銘柄群の動きから相場観をつくっていくのがもっとも現在の相場の現実に近いわけです。

今、株価は上がりかけているのか、下がりかけているのか、それは相場に聞くしかわかりようがないのです。

株価の寿命

相場観や株価の基準について述べてまいりましたが、こうしたことが必要となるのは株価にも寿命があり、はじまったものは必ず終りがあるという宿命の中で相場が動いているからです。

上がりはじめてやがては終る——株価の寿命はその時々の資金流入量の大小によって、大きく長くなったり、逆に短くて小さく終ることもあります。それを結果から類推し、ああだこうだと後講釈するのは簡単ですが、進行形の中でそれを正しく判断することは誰にもできません。

図表22は株価の寿命のプロセスを呈示してあります。

株価の寿命は資金量によって決まるといいましたがもうひとつ、中長期投資の現物買いか、あるいは信用取引を含めた投機資金による買いかによってもその長さは極端に異なってきます。

現物買いは公的資金（年金・郵貯）・機関投資家や投信などが買ってくるケースで、下がるとすぐに押し目買いが入るので、大きく崩れることなく長い時間にわたってゆっくり上がり、その後、今度はゆっくり時間をかけて崩れていきます。一方投機資金による上げは株価が短期で一気に上昇し、ときには1～2週間で天井を迎えたと思うと、あっという間に急降下してしまいます。

こうした株価の寿命というものは買い手の投資スタンスによって異なるものであり、選ばれる銘柄によっても自ずと違ってくるのです。また現物買いと投機資金買いの混合度合いによっても株価の寿命は変わってきます。

株式投資においては、買い手の資金の性格などからくる株価の寿命によって決まる株価の

図表22　株価寿命図

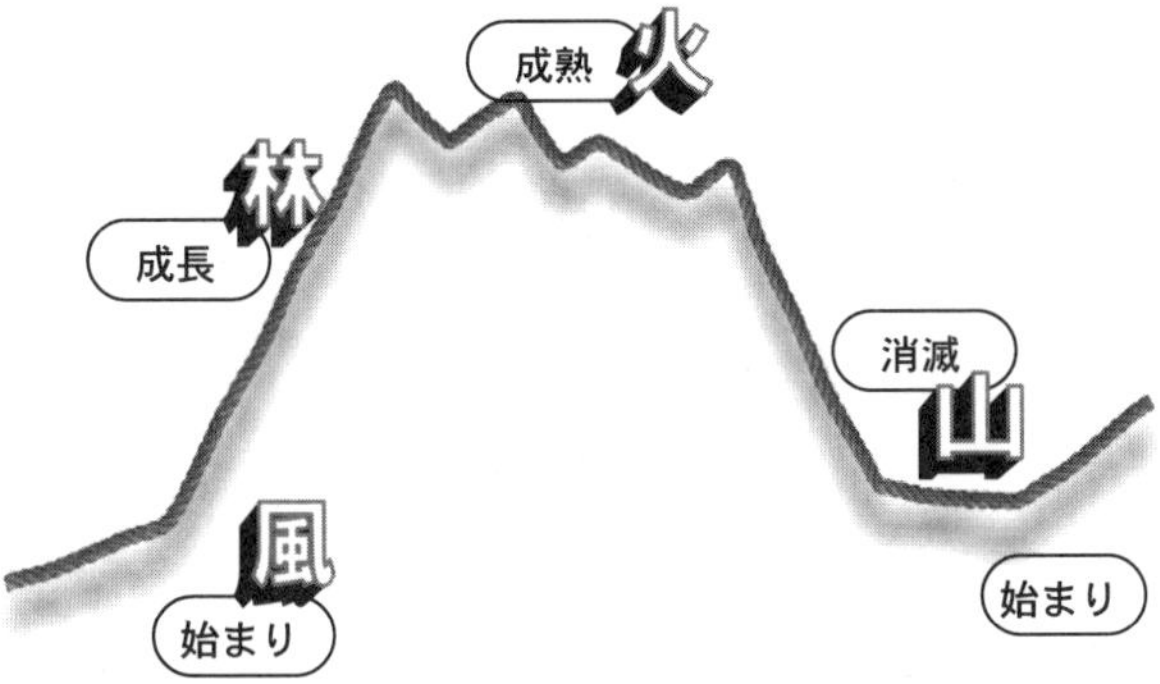

株価には、

始まり（生成）――上昇（成長）――天井形成（成熟）
――下降（消滅）

という寿命があります。
私のところではそれを『風林火山の４つの位置』
として株価位置の判断に用いています。

上昇パターンと下降パターンを認識しているかいないかによって、株式投資の成果は全く違ってくることになります。

もし株価の寿命（図表23）というものが頭の中にインプットできれば、間違っても材料・仕手系株などの高値を買うことはなくなり、やられた株を持ち続けることなんか絶対にやめるはずです。また、いかに優良株であろうと天井形成の後でもっとも証券会社が投資家に買わせやすいといわれる天井波乱の中（図表23）での押し目買いの愚も、その銘柄のこれまでの株価プロセスをみれば妨げるはずです。

さらに進んで株を買うときは、あらかじめ株価パターンを想定して買うかどうかを考えるようになります。もちろん同時に失敗したときのことを考え、そのときは10％のロスカットなどの撤退を行うのはいうまでもありません。

株価とは人間の期待や失望によって上げ下げするものと述べましたが、まさにそうした投資家の心理状態やその勝敗の帰すうが株価の寿命を規定し、投資家に大きな利益と損失を与えることになります。

その意味で株価の将来は過去の中にその可能性を見せているのであり、今それを買うことの危険が多いか少ないかは確率の中で決定できるはずです。

いい株を買うのではなく、どの株をいつどんな時に買うのかという株式投資でなくてはなりません。

「カラ売り」の修得

株価の寿命は当然の帰結として下げを利益の根拠とする「カラ売り」の有効性を明らかにすることにつながってきます。

株の格言に「株はウリから入れ」というものがあります。これはまさに当を得た格言であり、投資家の多くがいかに高値買いの愚を犯しているかを暗示していると同時に、株価の寿命というものをあらためて強く認識することができます。

「カラ売り」とは、株価が下がることで儲ける信用取引を利用する株式投資です。

本来は信用取引における買いの過剰を防ぐ目的でつくられたもので、正当な株式投資の手法です。しかし日本の証券界は、投資家にひたすら買わせたい一念から「カラ売り」は悪いものとして敵対視し、証券会社も営業的にやらせないようにしてきました。

バブルが崩壊し、株は上がるより下がる確率が高いことを知った投資家は、徐々に「カラ売り」も手掛けるようになってきました。「カラ売り」は買いとは逆に株価の天井で売り建てるもので、そこからうまく下げたら安値で買い戻し清算することで利益を手に入れます。もちろん買いとは逆に、株価が上がってしまえば高く買い戻すことになり損失を被ります。

株価には寿命があり、期間は別として常に上げ下げを繰り返しているメカニズムを知るためには、買いだけでなく「カラ売り」を覚えるべきだというのが冒頭の格言のいわんとするところです。

とくに投資家のほとんどは「利喰い」を目的とする株式投資、つまりトレーディングをしているわけですから、投資技術の一環として「カラ売り」を覚えることも大変有効となります。

「カラ売り」にはその天井形成の3つのパターンに適した手法があり、それぞれ一番天井「カラ売り」、二番天井「カラ売り」、下り坂「カラ売り」と呼ばれます。

投機資金によって生じる短期急騰の後の暴落を狙うのが一番天井「カラ売り」、現物買いと投機買いのミックスでつくられた天井の後に余熱で生じる二番天井からの下げを狙う二番天井「カラ売り」、主に現物買いによって上がったものがゆっくり落ちるのを狙うのが下り坂「カ

図表23　株価の寿命　三つの天井パターン

①天井波乱型

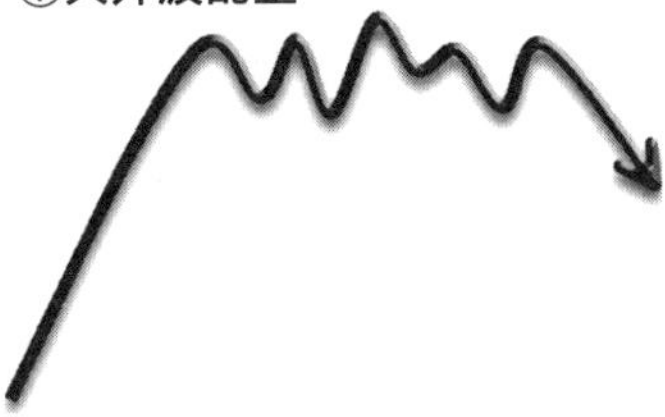

大型株や優良株が天井をつけたときはすぐには下がらず、下がるとすかさず押し目が入り、数ヵ月、ときには1年以上も天井圏で上げ下げを繰り返すことが多い。「カラ売り」は出来高が減って振幅が少なく、ジリジリ下がりはじめてからがよい。

②二番天井型

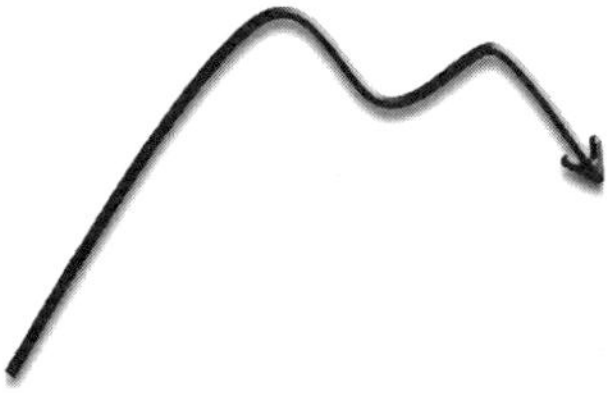

中型株に多くみられる天井形成で、一番天井の後、2～3週間か2ヵ月後位に一番天井の余熱で二番天井が形成される。出来高が一番天井にくらべ小さく保合わずに下げることが多い。

③一番天井型

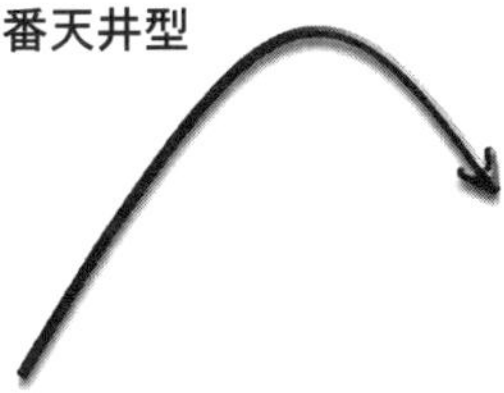

小型株によくみられる天井形成で、瞬間に沸騰し一気に下げるパターン。日常に比して巨大な出来高が1～2日に現われ、出来高の急減とともに株価も急落する。

ラ売り」です。いずれも株価の上昇プロセスの違いによって株価の下落のパターンが違うことから、このような3つの手法が生まれているのです。

したがって「カラ売り」を覚えることは先ほどの株価の寿命をそれぞれの銘柄の株価パターンでみることになるので、株式投資の技術としてはすべてを経験できることになります。

ただし「カラ売り」は利益の面ではせいぜい1～2割、多くて3～4割がふつうであり、買いのように4～5割、ときには2倍、3倍という利益はありません。しかも間違ったときのリスクは大きいので資金的には買いの半分ぐらいにするのが定石です。

「カラ売り」の最大メリットは、天井圏における買いの過剰をふせぎ現金ポジションを高めてくれ、多くの投資家が塩漬け株をもって底値を迎えるのとは反対に、そこで利喰いをして新たな買いにまわれるところにあります。株価が上がるほどに「カラ売り」が増えていく、それは相場のリスクに対する最大の防衛にもなるのです。

なお「カラ売り」について興味のある方は、拙著『カラ売り入門』『カラ売りの実践』『カラ売りと信用取引』（いずれも同友館）の3部作を参考にして下さい。

大きな目標を持て

いよいよ最後の項となりました。トレーディングの技術を覚えたら、次は目標です。

よく「株式投資は何のためにやるのですか」と問いかけると「金儲けのためです」というと答えが返ってきます。しかし「どのくらい儲けたいのですか」というと「できれば10～20%ぐらい、それもコンスタントに」といいます。

私はいつも投資家の方にこういっています。相場でコンスタントに稼ぐのは至難の技です。株価は上がっている時の時間にくらべ、下がっている時の方が圧倒的に多いものです。

とくに天井3日、底百日といわれるように、天井にむけての株価の急騰は凄まじいのですが、そこからの下げはあっという間にきて、後は下げ続ける方が多くなるのです。

したがって、株式投資の儲け方はいいときにトコトン大勝ちをし、あとはトントンか小さな損で済ますというのが基本スタンスになります。毎月コンスタントに勝ちたいなんていうのはとんでもないことで、突然に大儲けしたり負けが来たりするのが株式投資と考えなくてはなりません。

だからこそ高値買いやナンピン買いといった集中投資は避け、大きな損失を防ぎ、できれば大勝ちできる底値からの買いや強い株への飛びのりを狙う必要があるのです。株式投資の買いでは、私はつねに4～5割、できれば2倍を目指すことを目標にしろといっています。

人間は、小さな目標ではそれだけのものにしかなれません。大きな目標を持ってこそ、そのために何をすべきかということが決まってくるはずです。大勝ちを狙う人は決して高値は買わなくなり、いかに安く上手く買うかに専念するようになるのです。

目標を大きく、そしてそれを達成するための技術を修練して下さい。本書に書いてあることは、その目標達成に必要なことばかりです。

とくにバブルの崩壊以降、大底を通過したこれからの株式市場はトレーディングに適した場となり、上手くいい相場に当たれば、冒頭のAさんのように儲けて目標を達成できることも夢ではなく、本書に書いてあることを守れば大きな損失は防ぐことができ、手に入った大きな利益も失うことはありません。

相場の魅力とおもしろさは、正の確実性を発揮して株価が大きく上昇するとき、私たちは途方もなく大きな利益を手にする可能性があり、しかもそれがいつくるかは誰にもわからないというところにあります。だからこそそれを待っている間はガッチリと防御を固め、資金を無駄に動かさず、チャンスをじっと待つ必要があるのです。証券会社や銀行からの勧誘など無視して自分の金は自分で守り、ひたすら待ち続けることです。

そして大きな相場に出合ったとき、勝利の女神を自分の方へグッと引き寄せるのはあなたの力であり、いくら儲けられるかは相場が決めてくれるのです。

三木　彰（みき　あきら）

1945年、東京生まれ、慶応義塾大学経済学部卒業。
1994年、投資技術コンサルタントとしての投資顧問を目指し、ライジングサン・アセット・マネジメント株式会社を設立。現在、代表取締役。
テクニカル分析に基づく相場のトレンドを軸とした株式・オプション買いの売買を提唱。

主な著書：「『日経225オプション買い』の実践」（同友館）
「最強のオプション戦略」（同友館）
「カラ売り入門」（同友館）
「カラ売りの実践」（同友館）
「カラ売りと信用取引」（同友館）
「儲かる銘柄、損する銘柄」（同友館）ほか多数

現住所：〒102-0084
東京都千代田区二番町11-9-303
ライジングサン・アセット・マネジメント株式会社
TEL　03(3264)7531
FAX　03(3264)7533
http://www2.u-netsurf.ne.jp/~risingsn

2002年 8月25日　第1刷発行
2002年10月14日　第2刷発行
2003年11月24日　第3刷発行

「株のトレーディング教室」

著　者　©三　木　　彰
発行者　山　田　富　男

東京都文京区本郷6-16-2
郵便番号　113-0033
発行所　株式会社　**同　友　館**
TEL　03(3813)3966
FAX　03(3818)2774
http://www.doyukan.co.jp/

落丁・乱丁本はお取替え致します。　印刷/中央印刷　製本/トキワ製本所
ISBN 4-496-03402-6　Printed in Japan